最果ての向日葵

—俳人 藤谷和子に聞く

松王かをり

はじめに

上・藤谷和子、下・松王かをり
（第１回インタビュー、H31.3.30）

その人に出会ったのは、平成28（二〇一六）年の中北海道現代俳句協会の新年会であった。会場は札幌駅にほど近い「すみれホテル」。私は、平成16（二〇〇四）年に奈良で俳句を始めたものの、平成18（二〇〇六）年に札幌に転居し、現代俳句協会には、この新年会の前年に入会したばかりだった。このような場に出るのは初めてだった私に、円卓の左隣の女性が声をかけて下さった。「松王さん。中現俳賞（中北海道現代俳句賞）に応募してくださった方ね。前半はとてもよかったんだけど、後半がよくなかったね」とすかさずおっしゃって、そしてにこっと微笑まれた。こんなふうに初対面でズバッと言って下さる人など今までに一度もなかったので、びっくりしたけれど、それよりその笑顔に強く惹きつけられた。小柄でいらっしゃるのに、なぜか大輪の向日葵（ひまわり）が浮かんだ。それが、当時88歳だった藤谷和子（ふじやかずこ）さんとの最初の出会いである。

藤谷和子、昭和2（一九二七）年、樺太（現・サハリン）生まれ。引き揚げ後、30歳を越えた頃に俳句と出会い、伊藤凍魚（とうぎょ）の「氷下魚（かんかい）」、松澤昭（あきら）の「四季」、杉野一博（かつひろ）の「艀（はしけ）」で活躍した後、「草木舎（そうもくしゃ）」という俳句会を立ち上げた俳人。そして、まだ女性の俳人が少なかった北海道俳壇にあって、現代俳句を牽引してきたお一人であり、平成9（一九九七）年、第二句集『生年月日』で北海道新聞俳句賞を受賞なさった俳人であると知ったのは、さらに後である。

その魅力的な笑顔に惹かれて、私は、時々「草木舎」の句会に参加させていただくようになった。そこではじめて和子さんの俳句、俳句観に直接触れたのであるが、句会での和子さんは、一句一句丁寧に、助詞一字にもこだわって句評をし、さらに添削やアドバイスをなさる。褒めるにしろ、だめだと言うにしろ、どちらの場合も迷いはなく、はっきりとおっしゃる。その的確で精力的な句評を聞くのが楽しみで、仕事の都合がつけば句会に顔を出した。そして、句会の後には結構早い時間からの飲み会という、もうひとつのお楽しみもあって、いける口の和子さんは、氷を入れた赤ワインを飲みながら、俳句のことや昔の思い出を話して下さるのである。和子さんはとても話上手で、十人あまりいる草木舎のメンバーも私も、思わず引き込まれて身を乗り出すというのが常であった。ところで、その頃の私は、施設にいる父の夕食の介助に通うという日々を送っていたので、話が佳境に入る頃には退席をしなければならず、断片ではなく、一度ゆっくり和子さんからお話を伺いたいと思うようになっていった。

ちょうどその頃、和子さんがNHKスペシャル「樺太地上戦　終戦後7日間の悲劇」（平成29・8・14放映）に、証言者の一人として出演なさることになった。その取材を受けた時の気持ちを、「でも何だか言ってもむなしいような気もしなくもないんですよね、正直な話。やっぱり実際に体験したかしないかっていう差っていうのは、いくら言葉で一生懸命伝えようとしても、なかなか伝わらないもんじゃないかなあっていう気もしますけど、でも黙っては何も伝わらないことですもんね。ずっとね、本当のことを言わなきゃっていう気持ちと言いたくないっていう気持ちのせめぎ合いっていうのかな、断片的には話したことはありますよ。だけれども、もう私も90歳、（…）やっぱり話しておくべきかなあという気にはなりましたね」（NHK戦争証言アーカイブス）と語った和子さん。画面からも、そのせめぎ合いの苦悩がにじみ出ていた。

漠然と、和子さんへのインタビューを考えていた私に、この出来事は大きな示唆を与えてくれた。ひとつは、北海道にそれほど女流俳人がいなかった時代から、六十年近くも常に最前線で俳句を作り続けてこられた人ならではの俳句に寄せる思いや考え、実作の方法やアドバイス等を、なんとしても記録しておきたい、いや残しておかなければと強く思うようになったことである。戦争の体験談が貴重だというのと同様に、それは、俳句に関わっている私たちにとっての貴重な財産、まさに宝物だと感じたのである。そしてもうひとつは、もし和子さんへのインタビューが叶うなら、戦争体験者、引き揚げ体験者という点に光を当てるのではなく、実際に俳句をたどりながらお話を伺おうという方向性が決まったことである。

ただ、インタビューをお願いしてから実現するまでには、少々時間がかかった。和子さんいわく、「有名俳人にインタビューするのならわかるけれど、私なんかにしても仕方ないわ。

私の話に興味をもつ人などいないと思うよ」。「いえいえ他の誰でもなく、この私が聞きたいのです」と何度かのやりとりがあった後、平成31（二〇一九）年の3月やっと実現にこぎつけた。結局、インタビューは和子さん宅で、九回にわたった。そして毎回、亀松澄江さん（「草木舎」現・代表）が同行して、インタビューの場を盛り上げて下さった。

そうして始まったインタビューであるが、いざ始まってみると、和子さんは、それこそ真っ正面から向き合って、できるかぎり誠実に答えようとして下さった。それは、すでに90歳を超えておられた和子さんにとって、どれほどエネルギーのいることだったか。というのも、和子さんにとって俳句を語ることは、つまるところ、人生を語ることでもあったからである。うかつにも私は、そのことにインタビューを始めてから気づいたのである。人生をお聞きするつもりではなく、俳句を柱にしてお聞きしたのだが、結果的には、歩いて来られた一生や生き方が浮かび上がるということになった。そしてそれは、和子さんの暮らしの傍らにいつも俳句があったということの証（あかし）でもあるのである。

未熟なインタビューにもかかわらず、和子さんの驚くべき記憶力と俳句の力に助けられて、この書は、俳句入門者にはユニークな入門書に、すでに俳句の世界に足を踏み入れている人には、それぞれの程度に応じて、必ずや何らかの示唆を与えてくれる書になったのではないかと思っている。さらに望むとすれば、全く俳句に興味のなかった人が、この書を読んで俳句に興味を持って下さることである。
　ところで、どうして和子さんの第一印象が大輪の向日葵だったのか、我ながら不思議に思っていたが、九回のインタビューを終えた今、その直感がかなり正しかったことに驚いている。向日葵は、決して明るいだけの花ではない。輝くように咲きつつ、中央に硬い暗い部分を抱え持っている。樺太から引き揚げて来られたことなど、かなり後になって知ったことではあるが、明るさと暗さ、柔らかさと硬さ、やさしさと激しさといった相反するものを併せ持っている向日葵のイメージを、和子さんの笑顔の中に見て取ったのだと思う。和子さんを見ていると、哀しみを内に秘めつつ、真っ青な空の下、北の海に向かってしっかりと立つ向日葵が目に浮かぶ。タイトルを「最果ての向日葵」とした所以である。

【インタビューを行った日】

第一回　平成31（二〇一九）年3月30日
第二回　平成31（二〇一九）年4月8日
第三回　平成31（二〇一九）年4月20日
第四回　令和元（二〇一九）年8月17日
第五回　令和元（二〇一九）年8月19日
第六回　令和元（二〇一九）年8月26日
第七回　令和元（二〇一九）年9月14日
第八回　令和元（二〇一九）年9月28日
第九回　令和2（二〇二〇）年6月24日

目次

【凡例】

一、俳句を一句そのまま引用する場合には〈 〉で包んで示し、俳句の一部を引用する場合には「 」で包んで示した。

一、そのままではわかりにくいと思われる箇所には、著者が（ ）で注をつけた。

一、作品の難読漢字にはルビをつけた。旧字体を新字体に改めた漢字がある。尚、作品は旧仮名遣いである。

一、和暦でインタビューをすすめたので、本文の年はすべて和暦での表記である。

一、参照として、巻末に略年譜をつけた。

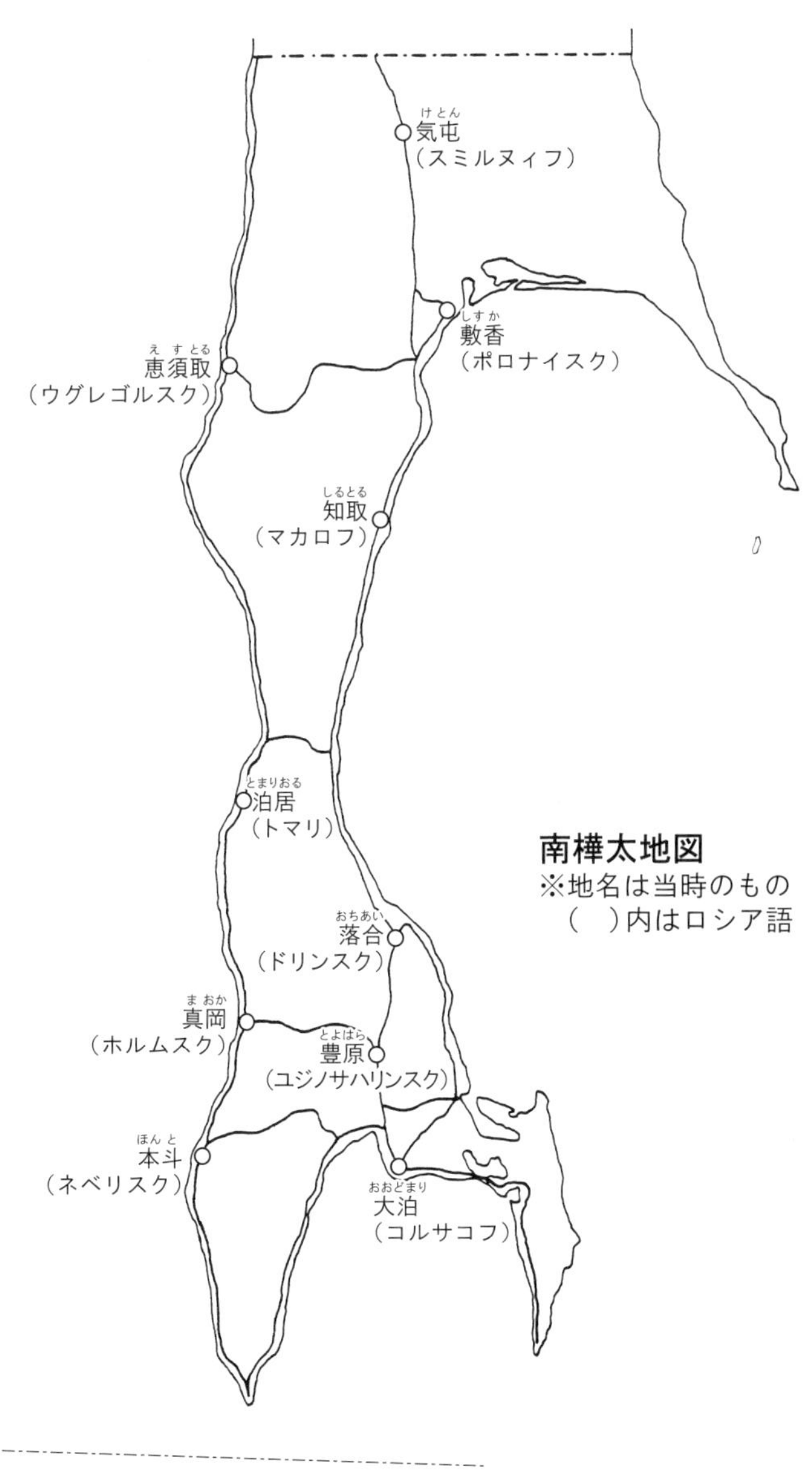
南樺太地図
※地名は当時のもの
（　）内はロシア語
けとん
気屯
（スミルヌィフ）
しすか
敷香
（ポロナイスク）
えすとる
恵須取
（ウグレゴルスク）
しるとる
知取
（マカロフ）
とまりおる
泊居
（トマリ）
おちあい
落合
（ドリンスク）
まおか
真岡
（ホルムスク）
とよはら
豊原
（ユジノサハリンスク）
ほんと
本斗
（ネベリスク）
おおどまり
大泊
（コルサコフ）

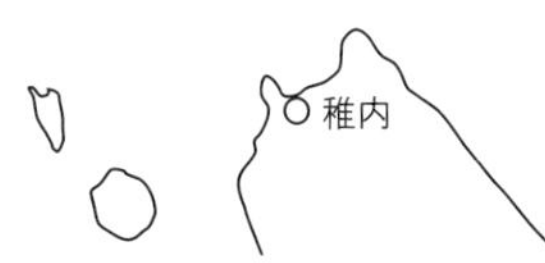
稚内

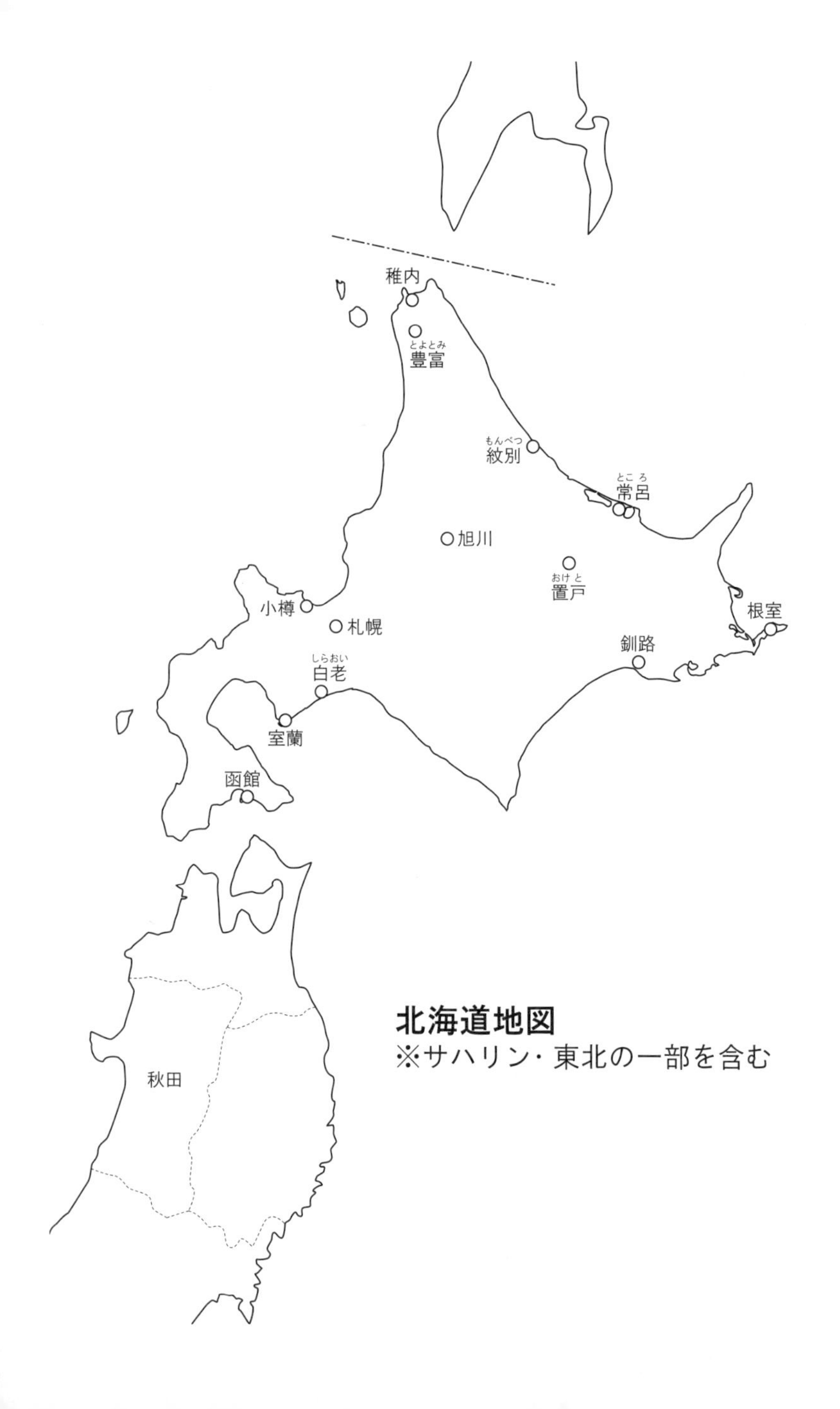

北海道地図
※サハリン・東北の一部を含む

第一章　引き揚げから俳句初学の時代

〈第一回インタビュー　平成31年3月30日〉

樺太庁立真岡高等女学校の頃（16歳、S18頃）

Ⅰ　樺太時代から俳句に出会うまで

どうぞよろしくお願いいたします。別にどこからお話いただいてもよろしいのですが、時系列のほうがお話していただきやすいかと思いますので、まずは俳句との出会い、そして俳句初学の頃までを伺えたらと思っております。

私が一番最初に俳句に出会ったのは、昭和13年、小学校（現在のサハリン州ネベリスクにあった本斗尋常高等小学校）四年生だったと思うのですけれど、一茶の句なのです。〈雀の子そこのけそこのけお馬が通る〉、あの句を習ったときに、先生が「俳句を作りなさい」とおっしゃって、作ったのです。ただ、私、自分の句は全然覚えていなくて、先生にすごく褒められたお友だちの句を覚えているの、〈かわら屋根すずめがとまるうららかさ〉。私、そのときに確か質問をしたような気がするの。樺太にかわら屋根なんかないの。トタン葺きか、そんなような家ばかりでしょ。その人、内地にいたときに見たというの。私、内地ってどんなところと思った。すごいなあって。

小学生で「うららかさ」という季語をもってくるなんて、びっくりですね。先生はそういう

 こともおっしゃったのですか。

そこまで言ったかどうかは覚えていない。でも、俳句に季語があるということを教えてもらったとは思う。それだけ覚えて、俳句はあまり好きではなかった。

女学校（樺太庁立真岡高等女学校）の時の青木校長先生が歌人だったの。月に一度、全校生徒に短歌必修があって作らせるのですよ。先生が選んで、秀作とか佳作とか、廊下にずらっと張り出すんだけど、私はあまり採られた記憶もないのよね。俳句も短歌もあまり好きではなくて、本を読んだり、文章を書く方が好きだったのです。戦時中ですから、よく兵隊さんに、慰問袋に入れて送る慰問文を書かせられるの。「兵隊さん、お元気ですか」とか、「銃後の守りは大丈夫です」とか書いて。そういうのを、いつも書かされた。みんなは期末試験の勉強をしているとき、「吉田（旧姓）、何日までに書け」と。どうして私ばかりと思ってね。

その頃から、やはり文章がお上手だったのですね。

慰問文なんて、適当な文章ですよ。とにかく文章を書いたり、本を読んだり。俳句は、まったく興味がなかったのだけれど、女学校の卒業間近になって、希望者に、国語の先生が課外授業みたいなのをしてくれたんですよ。そのころは昭和19年でしたから、物資がなくて、ガリ版刷りのわら半紙、先生の手書きでね。そこで出会ったのが、いま思うと高浜虚子とか飯田蛇笏の句だったと思うのです。あまりよく覚えていないけれどね。川端茅舎とか。それを早稲田の国文を出た若い先生で、岩城先生というのですけれど、私をかわいがってくれて、進学しないのを残念がったのね。

女学校は四年までですか。そこから上に行くかどうか。

そうそう、樺太の女学校は四年制でした。上に行く人は行った。だけど、もう戦時中ですから、東京に行った先輩がみんな帰ってきていたの。空襲がひどくて。私は家が貧しかったから上級学校なんか行けるわけもなかったし、そうしたら岩城先生が豊原（現・ユジノサハリンスク）の樺太師範に転勤になったので、そこから長い手紙を下さって、せめて師範にでもいらっしゃいとおっしゃって。でも、師範学校に入るにはオルガンを練習しないといけないの。それも面倒くさい。とにかく学校を卒業したら働こうと。本当は、東京の大学、どこかの文学部に行きたい気持ちもあったけれど、でも実力もなかったと思う。三年生まではトップクラスの成績だったけれど、四年生になったらガタッと落ちて優等生にもなれなかった。どうしてかというと、彼氏ができたから。ラブレターばっかり書いて。

本当ですよ（笑）。それを勉強部屋の引き出しの奥、ブリキの箱に彼からの手紙をびっちり詰めていたら、留守中に姉に全部読まれたんだから。姉が憎らしい（笑）。でもね、丸谷才一が言っているけれど、文章上達の第一番の方法は、ラブレターを書くことだと。いまの人たちはラブレターを書かないから文章が苦手なのかな。

確かにそうかもしれませんね（笑）。そのお相手は、旧制中学の学生さんだったのですか。

そう、樺太庁立の真岡中学校。私の先輩のYさん。恰好よかった。ゲートルを巻いて行進するでしょ、戦時中だから。校旗を持つ係なの。秀才だったの。ある人を通して、こっそりラブレターをくれて、「ああ、あの人」と思って。デートもしましたよ。夜、真冬にマントを着て外を歩くの、ただブラブラ。男女交際絶対ダメの時代だからね。若さって、ひどいもんだね。今だったら凍え死んでいる（笑）。

樺太の冬ですものね。

樺太ってね、私、びっくりしたことは、藤沢周平が小学校（現・山形県鶴岡市立黄金小学校）の副級長をしていたときの、小学校五年生ぐらいのときの写真を見たのだけれど、着物を着て、鞄を下げて。藤沢周平と私は同じ歳だけれども、私の小学校の入学式の写真で、着物を着ている子なんて数えるほどしかいなかった。みんな洋服だったの。だから、山形の田舎よりは樺太のほうが植民地政策みたいなのもあって、先生方も給料八割増だとか言っていたから。そういう面では水道なんかも、本州よりはずっと早く来ていたと思うよ。

いま聞いて、びっくりしました。私の亡くなった母は昭和3年生まれで、和子さんより一歳下でしたけれど、奈良の小学校の入学式に、自分は洋服だったけれど、ほとんどの子が着物だったと言っていました。そういう意味では、樺太のほうがずっと開けていたというか、洋風化、欧米化が進んでいたのですね。

新開地だからね。ご先祖様とか親戚のしがらみがないから。本州とか北海道から移住して来て暮らしていたから歴史がない、文化がない。その分、自由であったということは言えるわね。

今日、樺太のお話が聞けるかと思って、樺太の地図（口絵参照）を持ってきました。今、お話の真岡ってどの辺かしらと思って。お生まれになったのは、真岡、現在のホルムスクなのですか?

そうです、真岡です。真岡で生まれて、小学校の五年生まで父の転勤で本斗（現・ネベリスク）というところにいたの。そして、五年生のときに、また真岡に転勤になったの。父の仕事は、今で言えば土木現業所、港を作る仕事。あちこちで港を作って、そしてまた次の現場に。だから姉たちは、別なところで生まれてるの。

私の生まれた真岡にはね、四つ小学校があって、大きな町でした。第一小学校というのは、普通の市内。第二は、少し郊外。第三は、もっと郊外で、ずっと田舎のほう。第四が王子製紙の社宅がいっぱいあったから、ほとんど王子製紙の会社に勤務している人の子どもばかり。女学校を受けるのは、樺太西海岸全部が対象で、倍率が私たちのときが一番すごくて、次の年からもう一クラス増やして、三クラスになった。それでも私、入学したとき二番で入ったの。一番というのは、一回もなったことがない（笑）。

ここでちょっとご家族のことをお聞かせいただいてもよろしいでしょうか。まずはご両親のことを。

両親は、秋田の同じ村の出身、目と鼻の先。大きな農家だったらしい。父は、農家の次男で、継ぐべき農地を持たなかったから、家を出たのでしょう。父はね、初めは函館にもいたし、室蘭にもいたし、やはり転勤してあちこち。初めは本当に作業員だったと思うんだよね。でも、いつも部下がいっぱいいて、床の間に、お歳暮のみかん箱がバーッと積んであって。結局、海岸を埋めて平地にして堤防を作ったりする仕事。労働者、人夫をいっぱい雇うわけでしょ。だから、いつもうちに居候がいたの。秋田から、いとこだか、はとこだか、いつも若い者が誰かいた。私の考えでは、秋田の田舎から出てきた次男組にしては、成功した人だったんだと思うよ。だから、あそこに行けば仕事を見つけてくれて、下宿代を何がしか払えばって。それで私はそのおじさん方に、いつも映画に連れていってもらったり、サーカスに連れていってもらったり、とにかく人がいっぱいいる賑やかな家だったの。

和子さん、ご兄弟は何人いらっしゃるのですか。

二男九女の十一人。恥ずかしいね。両親はあまり仲がいいとも言えなかったのに、子どもばかりどっさり産んでね(笑)。一番上が男。あと九人が女。一番最後が男。びっくりするでしょ。その八女です。私、履歴書を書くときに「八女と書くのが嫌だ」と言ったら、妹が「私は九女だよ」と言った。でも、そのうち二人は生まれて間もなく死んだから、一緒に育ったのは九人。いまは三人になってしまったけれど。

そうしたら和子さんの掌篇小説「静脈」に出てくる「やぼちゃん」というお姉さんは?

「やぼちゃん」は、私の上の上の姉、六女です。八重子という名前だから「やぼちゃん」なの。私のすぐ上の姉は「ふさえ」だから「さっちゃん」、「ふさ」の「さ」で「さっちゃん」。みんなそれぞれ呼び名があってね、三女は「きみえ」だから「きこちゃん」。次女が「ふみえ」で、何であの人だけ「おんこちゃん」というのだろう、どうしてだろね。一番上の姉は「お姉ちゃん」。

でも、和子さんのお書きになったものに出てくるのが一番多いのは「やぼちゃん」ですね。

「やぼちゃん」の病気と死に方と生き方というのがね。あの人、文学派だったのね、兄妹の中でただ一人。短歌をやっていたの。釈迢空（折口信夫）の何とかって歌誌に、ときどき「載ったんだから」と見せてくれて。戦前ですよ。私、あの姉のことは本当にかわいそうで、つらくて。何となく魂が繊細だったから。あの姉のことは忘れられない。死んだときのことも、掘り起こしたときのこともね。だって、まだ若かったもの。

23歳の若さで亡くなられたのですね。和子さん、「丘の眺め」という随筆に、真岡の丘に埋葬なさった「やぼちゃん」を掘り起こすときのことを、お書きになっていらっしゃいますね。

真岡の町って海岸段丘になっていて、丘の上のほうに王子製紙の社宅がずらっとあったの。その向こうに火葬場があった。亡骸を埋めたのは昭和20年9月20日、ソ連の艦砲射撃でみんな逃げて、火葬場の人もいなくてね、地面を掘って埋めた。そこに棒かなにか目印を立てておいたの。土饅頭（土葬の墓）だから、誰のだかわからなくなる。二年半の抑留生活の後、本土に引き揚げる時に掘り起こしたの。布団のシーツか何かにくるんで遺体を箪笥の引き出しに入れて埋めたのだけど、出てきたのを持ち上げたらね、すごい臭い。臭いもひどかったけれど、持ち上げた箪笥のかしがった隅からポタポタと。黄色いあれは何だろう、タンパク質が溶けたものなの？　その臭いが強烈でね。とっくにお骨になっているのかと思って、変だなと思って、弟に聞いたんだわ。弟は、何年か経って調べたんだね。そうしたら、火葬場の辺りは粘土質で、それに寒いところでしょ。だからそんなに簡単にお骨にならないんだって言っていたよ。

埋葬して二年以上経ってからなのですね。「やぼちゃん」を掘り起こして火葬なさって、本土に一緒に帰って来られたのは。

そうなの。お骨箱を包む布が無くてね、ホームスパンの洋服か何かがあったの。ジャキジャキと切って、それを袋にして持ってきたのだけれど、引揚者収容所に入ると、こういう長いテーブルの上にね、向こう側にソ連兵がズラッといて、こっち側は私たち。中に変なものが入っていないか、荷物を全部そこに開けさせるの、背負っていたリュックも。骨箱を私が持っていたでしょ。そうしたら、「これは何だ。開けろ」と言ったから、私はそのころロシア語が喋れたから、「これは死んだ人の骨ですよ」って。そしたら「ああ、もういい」と開けて見なかったの。その中にね、ポマードの中に姉の指輪を入れて、隠して持ってきたの。調べられると取られてしまうもの。

そのころは俳句なんて考えたこともなかった。でも、女学校四年生のときの岩城先生、京都の人でなかったかな。早稲田出身の人でね、あの先生が一番懐かしい。

和子さんの文才を、きっと愛していらしたのでしょうね。

いや、私にはわからない。でも、先生によく頼まれたの。講演会みたいなのをやるの、一年に一回。中間テストか期末テストの前にやるの。みんな勉強しているでしょ。なのに私に回ってきて、演壇に立って何か適当なことを言わないといけない。それは憎らしくてね。

その四年生のときに、先生は進学をお勧めになったけれども、和子さんは進学しないで働こうと。その頃ラブレターをお出しになっていたお相手は?

兵隊に取られた。あの人(Yさん)、確かね、仙台高専を受けたの。落ちて帰って来たから、年齢も二つ三つ上。恵須取（現・ウグレゴルスク）のほうの人、船でないと真岡に来られないところの人だったのね。下宿して通学していました。それで、すぐ召集令状が来て入隊して、シベリアに抑留されちゃったの。何年も帰って来なかった。いよいよ敷香（現・ポロナイスク）に入隊する途中、真岡まで私に会いに来たの。私、駅に勤めていたでしょ、卒業してすぐ。

卒業して、就職は真岡の駅にお勤めだったんですか。

あのね、戦時中の就職って、私、昭和19年卒だから終戦の前の年でしょ。そうしたら、師範に行く人もいたし、教員養成所に行く人もいたし、いきなり就職する人も。あの頃、優等生は拓銀（北海道拓殖銀行）に入ったの。私、優等生なんてくだらないなと。真面目コチコチで、他のこと何もしないで勉強ばかりして面白くない。これ、負け惜しみです（笑）。そういう人は拓銀。その頃、鉄道というのは戦時扱いで、何というのか、第一優先の戦時中の職業だったの。制服を着せられて、私、真岡駅に就職したんです。事務です。出張もあちこちしたしね。

そこへ出征するという前日だかに彼が隠れて会いに来て、駅のホームで車窓に手を振って「さようなら」って言ったような気がする。それっきりです。そのうち終戦になった。

二年半抑留の後、私は引き揚げた。彼の消息は全然ない。死んだんだか、生きてるんだかわからなかった。今日は、彼の話でないんだよ(笑)。でも、とにかく達筆で、文章も。やっぱり大人だったんだわね。

それじゃ話を戻して、引き揚げは真岡の港からだったのですか。

引き揚げはね、真岡。私は真岡駅に勤めていたから、終戦の天皇陛下の玉音放送を聞いたのは、真岡駅のホームなの。重大放送があるからって。ホームの前のほうに駅長と助役がいてね、その助役が三人ぐらい。全員で二、三十人かな?「いま、これから始まるから、みんな気をつけ!」って、真ん中にラジオを置いて始まったのね。何を言っているのだか、さっぱりわからない。声も割れていたし、ラジオも古かったんでしょう。そうしたら、一人、戦地から帰ってきたばかりの助役さんがいたの。「ああ、これは日本が戦争に負けたということだ。降伏したということだぞ」と。これで騒ぎになってね。それまでポカンとしていたの。だから、私はあの玉音放送というのを、いつも俳句の題材にしたくてしたくて。樺太も暑い日だったの。こっちも暑かったんだってね。

それからが大変。8月15日でしょ。ソ連軍の艦砲射撃を受けたのは8月20日だから、五日あるでしょ。その五日間が大変。街中大混乱。町内会ごとに引揚命令が出て、私たちの乗船日は20日だったの。今日、船に乗るぞと、リュックに物を詰めて、私は南部鉄瓶を一つ持ってね。海岸段丘の崖の端から港を見に行ったの。そうしたら、朝靄がかかっていたんだ。8月20日でも、沖に黒い船がいっぱい見える。「わぁ、輸送船、内地から迎えに来てるわ」って家に帰ってみんなに言って喜んだの。そうしたらバババーって、いきなり艦砲射撃が始まったの。うちのすぐ上の姉、さっちゃんがトイレに入っていた。「おっかなーい!」と出てきたのを覚えているよ。それから裸足で逃げたの。着たまま。黒い船は、ソ連の軍艦だったんだね。

荷物も全部置いてですか。

そのまんま。家づたいに後ろの山に。うちの前にも防空壕があるんだよ。戦時中だから必ず、手製のちっちゃな防空壕。だけど、それは危ないからというので、憲兵隊の防空壕に逃げたの。町内会の誰かがメガホンで「逃げろ! 逃げろ!」と町内を歩いていたような気がする。うちの父はロシア語がわかったの。ニコラエフスク事件ってあったんだよね、辞書で調べたら、日本人がシベリアで八百人ほど殺された事件があるんだわ。そこに一兵卒として行ってきたものだから、話せないけど、耳でわかる。何か声がソ連兵みたいだから、すぐに逃げたほうがいいと。

私たちは防空壕に入ったでしょ。大きな防空壕だから、知らない人も三十人ぐらい。そうしたら赤ちゃんを連れている人がいて。泣かせるとソ連兵に見つかるから、泣かせるなと。でもそう言ったって、赤ちゃんだもの。「ソ連兵の声がするから、静かにしてろ」って、息を詰めていたの。赤ちゃん、たまたま泣かなかった。だけど、来たんだよ。入口までこうやって懐中電灯で探して。真っ暗にして息を潜めていたからわからなかったけれどね。やぼちゃんはね、結核だったから咳をするの。だけど咳を我慢して。そのうちにソ連兵もまた別の防空壕を探して行っちゃった。

実際に、それで見つかった方もいらっしゃるのですか。

私の同級生は、自分の家の前の防空壕にいて、弟を膝に乗せて入っていたの。その蓋をパッと開けられて、手榴弾を投げられて亡くなった人がいるよ。

私たちはその防空壕で一晩を過ごしたのだけれど、夜になったら空が真っ赤になったの。火事。全部、焼かれたの。真岡は南北にひょろ長いから二つ駅があるの。真岡の駅と北真岡の駅。その間が何もない。北真岡まで見渡せるぐらい全部焼かれて、何もなくなった。だから空が真っ赤になった。それは8月21日の朝でしょ。これではどうしようもないから、どこかに逃げなければいけないということで、防空壕からそろそろと。まだ辺りのあちこちが燃えてたけれど、家の小路から小路を裸足のまま歩いて、家に入ったら、もうあるもの全部ひっくり返って、それこそ棚のものも何もかも、リュックに入れたお米から何から全部、足の踏み場がない。洋服から着物から全部ひっくり返されて。

それでも私たち、まだ帰れると思ってたの、日本に。戦争が、襲撃が終わったから、港へ行けば、まだ日本へ連れて行ってくれると思いこんで、服の上に服を着て、とにかく何枚でも着て、持てるものを持って。私は写真を集めたの、バラバラになっているのを。肩から下げているリュックに写真ばかり詰めていたような気がするよ。そこに、嫁いでいた一番上の姉の娘が、ひよこっと来たんだわ。すぐ近くに住んでいたんだけれど、姉の家は無事だったから、一緒に暮らそうと。

それじゃしばらくは、そのお姉さんのところで住んでいらしたんですか。

二戸建ての家だったから、隣の家に住むことになったんです。共同生活です。結局、20年に終戦で、二年半樺太にいて、たしか、真岡乗船は昭和23年の3月下旬でした。函館に上陸したのは4月、私の誕生日の4月15日だった。

函館に、どなたかお知り合いがいらっしゃったのですか。

いいえ、いません。函館に引揚者収容所があって、上陸してから一週間ぐらい泊まったんですよ。輸送船から艀に移されて岸壁に着くんです。大きな輸送船で、まだ検疫が済まないで、高松宮様が見えたり、退屈だから演芸会みたいなのがあったの。そうしたら、誰か真岡高女を出た人で歌ってくださいと言われて、「何か歌って」と言われたって、私、歌なんか得意でない。でも「椰子の実」を歌ったの、「名も知らぬ遠き島より」って。船内は二段ベッド、三段ベッドになっていてね。そこに女学校の同級生もいましたよ。上陸したら、今度はＤＤＴをかけられるの。ノミだシラミだって。そこで、それぞれの引揚先へ別れたの。

和子さんは、お父さん、お母さんのご出身の秋田にいらっしゃったのですか。

そう、でも私は、秋田にはあまりいなかった、一年足らず。でもね、農作業は手伝ったよ。秋田で、柿が生っているのを生まれて初めて見たの。行ったときは4月だけれど、すぐに田植えも手伝い、草取りも手伝って、稲刈りも手伝って。ひとわたり終わったら、北海道にいた姉に、子どもが生まれるので手伝いに来てくれと言われて。蕗の葉っぱにおにぎりを包んで、秋田だから、お米は不自由しなかったの、12月だったの。青森駅のホームまで行って、食べようと思ったら凍って食べられなかった記憶がある。よく行ったと思うよ。昔の鈍行に乗って、一人で船に乗って、置戸（常呂郡）というところ。当時は舗装も何もしていない。造材業の盛んなところで、馬の蹄で雪道にボッコボッコと穴が開いている。姉が子どもを連れて迎えに来ていて、そこに私は一年半ぐらいいた。三井木材工業という大きな会社に勤めてね。甥っ子たちに、チョコレートが売り出されたときに買ったら、「これ、何というもの?」と言われた。びっくりしましたよ。

そこに一年半ほどいるうちに、いまは閉山したけれど、豊富（天塩郡）というところをちょっと入ったところに日曹、日本曹達という大きな会社があったんですよ。兄がそこの事務長だかになったから、今度は家族が全部集まったわけ。父、母、兄、兄嫁、妹、弟は秋田から。私も行ったの。日曹の会社に入ろうと思って検査を受けたら、肺浸潤の影があると。妹は何ともなかったから採用になったの。弟は教員養成所へ行って先生になった。私、会社に入れないのだったら先生になるしか仕事がないのだもの。そこで教員になったの。臨時教員みたいな、女学校出てるし。昔「でもしか先生」って言われた頃だよ。

豊富って、ずいぶん北の方にあるところですね。稚内からちょっと南の（口絵参照）。

豊富から日曹まで、会社の小さな鉄道（日曹炭鉱天塩砿業所専用鉄道）が出ていたの。何千人も住んでいたんだよ。炭鉱や日本曹達が盛んなときは。だって、一年生を受け持ったけれど五十人ぐらいだった。日曹小学校に勤めたら、教員室に同級生がいたの。それが後に私の夫になる藤谷利勝（ふじやとしかつ）、彼もそこの先生でした。私、23歳で結婚したんだわ。だから昭和25年かな。小学校のときに一緒に机を並べてね。親同士同じ職場だったの。藤谷の家は、兄妹みんな結核で死んで、うちの夫、一人しか残っていないんだよ。同郷の人がいたから、その人と結婚したの。何より、結婚したら小樽に住めるのだと。

結局、出征していった人なんて、生きているんだか死んでいるんだか、全然わからないわけでしょ。シベリアに行っていることも知らないのだから。ぽっつり、あれきり行方不明。そのうち結納も入って、夫は就職のため小樽に帰っていた。そうしたら、あるとき縫物をしていて、ひょっと坂のところを見たら、あの人（Yさん）が登ってくる。びっくり仰天。

えーっ、和子さんを訪ねて来られたということですか。

そうなの。彼はシベリアから帰国して、私を必死に探した。私の方が誠実でなかった。ある日、あちこちの引揚者収容所の付箋のいっぱい貼られた葉書が届いたの。彼のだった。「ああー」と思ったけど、やっぱり返事出したよ。もう結婚が決まってしまったって。許して下さいって。そのあと、小樽の藤谷家に挨拶に行ったの。結納が入ってから、夏休みか何かに。夫は、私より先に学校を辞めて、小樽で就職すると言って帰っていたの。商売をすると言って、ダメだったんだけどね。二、三日、泊まったような気がするのだけれど。

小樽から日曹へ帰る列車が、Yさんの住んでいるH町に近づくと胸がどきどきして、その駅に降りてしまったの。彼の住所は私書箱何号かだったから、郵便局で聞いたら、町立小学校で、彼は先生でした。駅前の小さな食堂で次の列車が来るまでの間ね、真岡駅ホーム以来の再会だった。そこで近々結婚することも話してね。彼が私の家へ訪ねてきたのは、何もかも承知の上で、「結婚を破談にして」と私の両親に頼みに来たんです。手をついて頼んだの。両親はとても気の毒がったけど、今更仕方ないものね。私だって辛くて、家出してでもと思ったり。あの時代、私たちのような経験をした人、たくさんいたと思うよ。今、考えてみると、初恋の人とは、ゆっくり話し合ったこともない。文通がすべてだったように思うのですよ。たかが中学生と女学生のね。

いつだったたか、誰かに「和子さんは劣等感というものないでしょう」と言われたことがあったけど、「とんでもない、劣等感の塊が私を俳句に向かわせるんだよ」って。

では、H町でお会いになったのが最後なんですか。

でも、そのあと真岡中学・真岡高女合同の同窓会が毎年ありました。お互いに結婚していた。だけど私、だんだん出なくなった。夫が私が同窓会に出るのを嫌がるから、焼きもち焼きなのさ（笑）。

　夫とは昭和25年に結婚して、でも、そのあと小樽で仕事がなくてね。うちの兄の世話で常呂（ところ）町（北見市）、いまカーリングが盛んなところ、そこの山の中の福山小学校という分校、そこで教員をしました、二人でね。複式学級、おもしろいよ。一つの教室に一年生と二年生。夫は三年生と四年生。校長は五年生と六年生。三クラスしかないの。でも、あくまでも先生なんか長くしている気持ちもないし、仕事がないからそうしたのでね。ひどかったよ、若さでなかったら耐えられない。電気・水道なしだもの。でも、なつかしい。

　この福山小学校での思い出と、当時のソ連の人たちとの二年半の抑留生活は、私の俳句に時々出てきますよ。ソ連って個人の商店がないから、私は林業トラストの購買に勤めていたのだけれど、その林業トラストに勤めている人がたの社宅が、昔の料亭を改装してあったの。そのおばさん方が来ては物をくれたり、お喋りをして行ったり、店だからね。それでロシア語も覚えたんだと思うよ、日常語。しょっちゅう人と喋っていたから、たいていのロシア語がわかったんだよね。いまなんか何もわからないよ。「конечно（カニェーシナ）」だけわかるわ、「もちろんさ」という意味でね。そんな変な言葉しか覚えていない。引き揚げの時には、そのおばさん連中に、「裕仁のところに帰ったら、餓死するから帰るな」と言われたの。「天皇陛下のところになんか行ったら、お前たちは死んでしまうから帰るな」って。それで残った人もだいぶんいると思うよ。

まだこのころは、俳句に出会っていらっしゃらないのですか。

そうだ。私、福山小学校のことを言ったよね、常呂の。そこは電気がなくてランプ。そして、常呂町から流れてくる有線放送というのがあるの。電信柱に線がいっぱい付いていて、各戸に入っているの。そこで、ときどき募集した俳句とか短歌を聞いて、「ああ、こういうことをやっているんだ」と思ったけれど、それでも作ろうとも思わないんだよね。私、あの頃、どうしてか知らないけれど、『罪と罰』とか『カラマーゾフの兄弟』を、どこかから借りて来て、分厚い昔の世界文学全集を読んで読んで、歯がこんなに腫れた記憶があるのね。そのくらいで、別に俳句を作ろうとかいう気はないの。有線放送の俳句や短歌を聞いて、文芸作品もこういうふうにして復活してるんだなという気はあった。「これならできるかな、やってみようかな」という気はあったけれども、一回も投稿なんかしたことはない。

そのうちに夫が紋別(もんべつ)で道職員に就職したんです。それで引っ越して、紋別で子どもが生まれてからは専業主婦で。子どもは1歳のとき、北大病院で検査の結果、聴力障害ということがわかりました。それは、その後の自分の生き方、一生を決定づけたことでした。

Ⅱ　俳句と出会って

それじゃ、一番はじめに俳句をお作りになったのはいつだったのでしょうか。

紋別にいるとき、北海道新聞に一回だけ投句したんだわ。それが一回載ったら、すぐ函館に転勤になったの。その新聞は隠したの。うちの夫、俳句をすること大反対だったから。笑うんでないよ。覚えているの、転勤の荷造りをしているときの朝刊だから。〈花の雨人を慕いて爪を切る〉、笑っちゃうね。よくそんな甘っちょろい句を取ってくれたものだね。初めて活字になったの。昭和33年の7月。

初めての投稿で掲載になるって、すごいです。北海道新聞の俳句欄は、どの方の選だったのですか。

伊藤凍魚（とうぎょ）先生（飯田蛇笏門、「氷下魚（かんかい）」を主宰）。そのときの道新の選者は、伊藤凍魚、土岐（とき）

錬太郎、細谷源二だったと思う。

　ここに、和子さんの俳句手帖①が残っていますが、最初の句会の句なのですか。投稿の句なのでしょうか。

　ああ、道新に載った句です。33年8月、土岐錬太郎さんの選に入った句〈遠蛙見合の部屋に姉として〉。それから、凍魚選〈詩ごころ貧し木炭計り買ふ〉。次のは土岐選〈コスモスや流木の如夫眠る〉、これはまだましか。次も土岐錬太郎選〈埋火の俄に赫し時雨きて〉、いいんじゃない、これ、初心者にしては（笑）。凍魚選の〈霜強し時計の捻子をきりりと捲く〉まずまず。凍魚選〈子の涙筋なしてなほ紅葉燃ゆ〉〈落日に灼きつくすもの我も慾し〉。ずいぶん道新に出しているんだわ。函館に行ってからも、気が向けば出していました。あのときの葉書が五円だった。

　和子さんが、最初に伊藤凍魚主宰の「氷下魚」にお入りになったのは、これがご縁なんですね。「氷下魚」に入られたのは、どなたかのお誘いがあったのですか。

　道新に出句していたのを、伊藤凍魚先生が結構取ってくださった。その頃もう「氷下魚」函館支部というのがあって、「今度、紋別から藤谷和子という者が函館に行くから、句会に連れて来い」と、伊藤凍魚先生から杉野一博(いっぱく)さん（和子さんより4歳年下の昭和6年生まれ、本名は「かつひろ」さんだが、俳人の間では「いっぱく」さんで通っていた。和子さんは常に「いっぱくさん」と呼ぶ）のところに手紙が来たの。それである日、一博さんが私の家に迎えに来て、それから行くようになった。会場は斉藤高原舎(こうげんしゃ)さん（杉野一博氏の同級生）宅。うちが、すぐ近かったの。一博さんは、そのころまだ就職しないで、大学を出て東京から帰って来ていて、ＨＢＣに入る前だった。その後、ＨＢＣに入社して札幌に行くから、一年ぐらいしかいない。だから函館の先生と言ったら、ほとんど斉藤高原舎さんだもの。

そのころ主宰の伊藤凍魚先生は、どちらにいらっしゃったのですか。

旭川です。そこで『氷下魚』を発刊したわけ。蛇笏門だったから、「雲母(うんも)」（主宰飯田蛇笏、昭和35年、四男の龍太が主宰を継承）の人とも交流があった。だから記念大会というと、客員選者として飯田龍太の選を仰いで。私も龍太の選に何度も入って、短冊をもらったの。

それじゃ、「氷下魚」函館支部の中心は、先ほどの杉野一博さんだったんですか。

はじめの間ね。そのあと、斉藤高原舎さん。男性ばかりが集まっていたの。そこへ私がポンと行って。斉藤高原舎さんははじめの頃忙しくて、句会になかなか出てこなかった。

旧家なの。高原舎さんは当時、いまの函館朝市のところに斉藤倉庫を何棟か所有していて、そこの専務だか社長だか、偉い人だったの。だから、忙しくて句会になんか出て来られない。

句会はね、高原舎さんのお家の居間で。お母さんがお茶を淹れてくれて、「どうぞ」って。じっと聞いているお母さんだった。十畳間ぐらいの居間に、お母さんが座ってお茶を淹れて下さって。私は短冊に書くということも知らないわけ。句会なんて初めてだからね。テーブルがなくて、膝の上か何かで書いたような気がするのだけれど。女は私一人でしょ、おっかなくてかしこまっていた。七、八人いたかな。私、椅子でないからお座りでしょ。後年、男の俳友に「膝小僧が見えて眩しかった」と言われた（笑）。一回ぐらい、息子を連れて行ったことがあるの、どうしても行きたくて。おとなしくしていたよ。

このときの和子さん、32歳ぐらいですよね。それにしても和子さん、よく思い切って行かれましたね。

だって、迎えに来たんだもの。私以外は、おじさんばっかり。二、三回目のときに、上五は忘れたけれど、「〇〇〇皓歯輝かす」という句を出したら、その句を杉野一博さんが酷評したの。私、まだ全然、俳句なんてわからないときでしょ。面白いというより、わからなくて、くやしくてね。私は主婦だから、みんなより早く家に帰らなきゃいけないの。帰り道、歩きながら遺愛高校のあたりに来たら涙が出てきた。さっきの評がくやしくてね。どうしてこんなに酷評されてと。もう句会は止めようと思ったの。「もう行かない」と思ったけれど、くやしくてまた行こうと思って（笑）。そうやって続いたの。

しかもね、家族はみんな、俳句会のことが好きじゃないでしょ。女は家にいてと思っているから。お舅さんいる、お姑さんいる、一番理解がないのが夫でしょ。隠れて、こっそり句を作って。みんなのいる前でなんか机に向かって書くこともないし、そんな暇もないし、切なかったね。それでもくやしくてね、「この次の句は、どうだ」って。あの頃の句会は男ばかりで、褒めるということがないんだよね。

こてんぱんなのは、一博さん。自分でも跋文（和子第二句集『生年月日』の「藤谷和子さんとの往来」）に、「自分の方向は決まらず方法も安定せず、その反動を他人にぶつけるように批評を鋭く装う有様であった」と書いているから、そうなんだと思う。私、そんなことわからないもの。ただただ、ひたすらくやしかった。止めればいいのに、くやしいから、夫の目をかすめて、また行く。近かったからね。歩いて行けるところ、電車の道を挟んで向こうだったから。

でも、そのうちに一博さんは就職して札幌に行ってしまったの。そうしたら、今度は高原舎さんが来て、教え方が一博さんよりずっとやさしい。一博さんは持論をぶちまけて、下手な句をやっつけて溜飲を下げている節があったけど、高原舎さんはそうじゃなかった。だから、よく教えてもらったよ、季語のことでも何でも。私の俳句を、手取り足取りで添削して教えてくれた。高原舎さんは褒めて育てる、優しい先生だった。添削もうまかった。あの人、感性が繊細で柔らかくて。だいたい、俳句がうまいんだわ。やはり初心者というのは、うまい人に直してもらわないとどうしようもないものね。

そうそう、高原舎さんの思い出といえば、二人でガリ版を切って、句会報を作りました。昔はパソコンがないから、ガリ版。高原舎さんがすごくうまくて、カットも全部やって。その原紙を私が自分の事務所（その頃、ニチロビルにある石油協同組合で事務職に就いていた）に持って行って、おじいちゃん（警察官を退職した人と二人の事務所だった）がいないときに印刷をして作っていたの。「岡目八目」という題でした。あのころは楽しかったね。高原舎さんが亡くなったときに、奥さんが見たいというので、そっくり送ってしまったの。一博さんと高原舎さん（昭和6年生まれ）は、幼稚園からの同級生で、どっちも旧家のぼっちゃんなの。だけど高原舎さんは、今、朝市のある場所に、昔、斉藤倉庫がズラッとあって、そこの地主さんで、同族会社の社長。人間関係ですごく苦労をしたの。だから同級生同士で親友でも、人生経験が全然違うのだわ。高原舎さん、この頃、もうすでに髪が薄かった。

だから、いつもベレー帽をかぶってね（笑）。

ところで、34年に「氷下魚」の函館支部にお入りになって、主宰の伊藤凍魚先生とはお会いになる機会があったのですか。

凍魚先生に生前に会ったことは三回しかないんです。早く亡くなられたので。一回目は、大会で。昭和36年に「氷下魚賞」の授賞式のときに札幌に行ったの。後から聞いたら、他の選考委員は誰もとらなかったのだけれど、凍魚先生が「絶対これだ」と言って、それで入ったみたいだよ。二回目は函館に先生が来て、斉藤高原舎さんの家に泊まったの。そこで句会をやって、みんなで函館山に登ったときに、先生が「あまりの絶景は句にならんぞ」と言ったのを覚えているの。三回目は、危篤だというときに、札幌のお弟子さんにお医者さんがいたの、その人の病院に入っていたの。私が出張にかこつけて、函館から札幌の病院へお見舞いに行ったの、亡くなる少し前だった。廊下に出て、すごく泣いた記憶があるの。だって先生は、自分が亡くなると『氷下魚』を終刊すると決めていたからね。

終刊号（昭和38年）のときの編集はね、三〇代、四〇代、五〇代の代表作者各一名、それから凍魚先生と雪女（ゆきじょ）さんのご夫婦、この五人を世代の代表として載せたの、巻頭に。その三〇代の作者に私が選ばれたの。先輩たちは、何で私が三〇代の代表？って。まだいっぱいいるの、旭川にもいっぱい女流もいたの。私は入ってまだ三年かそこらなのに。それがすごく記憶にあるよ。終刊号は捨ててしまったけれどね。でも、ノートには載っているはず。全部、書き写したはずなの。

それじゃ「氷下魚」にいらっしゃったのは、わずか四年だったのですね。

そう、「氷下魚」が終わったのが38年でしょ。次の松澤昭（あきら）の『四季』創刊の39年までは、私、どこにも所属していないの。

ここまで俳句との出会い、初学時代のお話を伺ってきましたが、ご家族の理解が得られなかったというのはお辛かったですよね。

だからね、杉田久女の句に〈朝顔や濁り初めたる市の空〉ってあるでしょ。あれはね、私自身が「朝顔」。そのころ私、さっきもお話した石油協同組合というところに勤めていたでしょ。ガソリンスタンドが乱立してバーッと増えたとき、協同組合を作ったのね、その事務をしていたの。今はホテルになってしまっているけれど、ニチロビルの三階に事務所があって、警察官を退職したおじいちゃんと私と二人いて、議事録ばかり取っていたの。会議ばかりやっていたから。そこから函館の海がバーッと見えて。四階が「美鈴」の食堂で、隣がHBC函館支局で、そこへ杉野一博さんもときどき出張で来るの。いろいろな歌手もイベントに来るの。俳句は、ほとんどその勤め先で作っていた。「濁り初めたる市の空」の「市の空」というのは、私に言わせると「都心」。活気があって、埃も舞っているし、排気ガスもあるし。そこへ行きたかったの、家を空けて。だけれども、なかなかそれができなくて。だから、その句、すごく共感できた。歳時記に載っていたのか、いつ覚えたのか。それが今でもずっと頭に残っている。あれはね、久女もそうだったのではないかと思う。終生忘れない句だね。

自分も男の人と一緒に句会にも行きたかった。みんな三回行くところを一回しか行けない。みんな八時までいるのに、五時に帰らなければいけない。私も男の人と一緒に句会でも吟行でも行ったら、あんなに酷評されなくてすむのに、もっと勉強したいと思ったよ。だから、今の人たちは幸せだなと思う。

ご主人にしたら、妻がそういう未知の世界に入って行くのが面白くないと思われたのでしょうか。

あの時代は、一家の主婦が、しかも「俳句」だなんて珍しいことだったし。特に私の夫は、私が外の世界へ目を向けることを嫌いましたね。なぜか、私には思い当たるふしがあるけど、今さら言っても仕様がないしね。今の人は幸せだなと思って。堂々と俳句を作っていてね。それじゃ、自由に俳句を作る時間がいっぱいできたから良い句ができるか、といったらそうでもないね（笑）。

最初にものすごく褒められたり、制限がなかったら、もしかしたらあまり面白くなかったかもしれませんね。

そういうふうに、一博さんのようにパンと言ってくれる人がいて良かったのだと思う。私は、だいたい俳句というのは好きでなかったのだもの。短歌のほうが、むしろ好きだったんだからね。ものを書く方が好きで、俳句は一番どうでもよかったのに、たまたま何かをしようと思ったら、そこに俳句があっただけで。もしそこに短歌があったら、短歌に、エッセイがあったらエッセイにいったのだと思う。たまたま俳句があったから俳句にしたというだけのこと。だけれども、のめり込んでみると、俳句ぐらい易しくて難しいものはないと思う。

でも、どこか和子さんの気質に俳句が合っていたから続いたのではないでしょうか。けれど、例えば小説をお書きになっていても、ひとかどのものをお書きになっていたと思います。ただ、小説だったら、今も続けていられるかというと違うかもしれませんね。小説を書いたりするのは、すごくまた別なエネルギーが必要でしょうから。

俳句、自分に合っていないと思うときもあるよ。無理矢理合わせているなというところはあるけれど。小説家になるのには、もっともっと素っ裸にならないとなれないでしょ。第一、そんな才能あるわけないでしょ。俳句はそんなに素っ裸にならなくてもできるから。いや、俳句も自分を出しているんだよ。出しているのだけれど、あからさまでないというか、背後には出しているけれど、背後を想像させるのが俳句だから。俳句は短いからね。小説は、リアルな部分はリアルに書かなきゃいけないでしょ。私、それほどリアルに書いていれば小説家になれたかといえば、そんなことはないと思うよ。なりたいと思ったこともあるんだよ、これでも。だから、あんな千切れたような変ちくりんな文章ばっかり書いているんだわ。

でも、俳句というのはね、いかようにも作れるというか、だからわからないの。いつまで経っても、今になってもわからない。

第二章　『瞬（またたき）』の時代

〈第二回インタビュー　平成31年4月8日〉

〈第三回インタビュー　平成31年4月20日〉

第一句集『瞬』の扉写真（60歳、S62）

前回は、生い立ちにはじまり、樺太からの引き揚げ、ご結婚・ご出産、そして、函館にお移りになっていよいよ俳句をお始めになる頃のお話、さらに伊藤凍魚（とうぎょ）主宰「氷下魚（かんかい）」への入会と終刊（昭和34～38年）までのお話を伺いました。ここからは、処女句集『瞬（またたき）』（昭和62・4、四季書房）の俳句を中心に、お話をお聞きしたいと思っております。制作順に六つのタイトルがついておりますので、その順にどうぞよろしくお願い致します。

(1)【冬の家族】（昭和38年以前　34～36歳）

句集の最初の二十七句のタイトルが「冬の家族」で、昭和38年以前とあるのですが、要するに、初学の「氷下魚」時代の二十七句ということなのですね。

そうです。私、「冬の家族」という題は、自分でも気に入っている。何となくうちの家族って、「冬の家族」かなと思う。

それは、どういう意味でしょうか。

やはり、子どものことがあるから。何というのかな、当時は離婚したいと思いつつ、俳句で葛藤し、家族で葛藤し。心から「幸せだな」と思って暮らしたことがあまりないような気もするし、「これでいいんだな」と思うときもあるし、いろいろだよね。それは誰でもそうだと思うけれど、俳句が私の逃げ道だったんだね。息苦しい生活の突破口みたいな。妻でも母でもない一人っきりの。

前回、杉田久女さんの句にとても惹かれたというお話を伺いましたが、どちらかというと心情が読み取れるような句に惹かれたということでしょうか。

「氷下魚」は決まった形でね、新しみがちょっとね。二年か三年で生意気だね。生意気だけれど、当時、私のそばにいた人が、杉野一博さんに斉藤高原舎さんでしょ、足立音三さんとか。その方たちが松澤昭（大正14年生まれ、当時は飯田蛇笏・龍太の「雲母」同人）の句がいいと言ったの。その松澤昭が提唱していたのが「心象造型」。心の形、自分の心象を形にしなさいと。もう、松澤昭のほうに頭がスッポリ行っている人たちだったの。でも、伊藤凍魚先生の偉いところは、若い人がたが、そういう方向に向かっているなとわかっていて、何も言わなかった。普通だったら、「お前たち、何をやっているんだ」と言うでしょ。

それで、「氷下魚」のあとは、もう迷いなく松澤昭の「四季」に入ろうと？

そう。「氷下魚」が終わったのが38年で、『四季』創刊は39年。松澤先生は、石原八束（やつか）と一緒に先に『秋』を創刊（昭和36年）したの。けれどそれはつなぎで、結局、自分で『四季』を創刊したでしょ。一博さん、高原舎さん、私、北海道ではこの三人がすぐに編集同人になったの。そして、すっかり「心象造型」というものにかぶれたわけ。それで、面倒な、なんだか変な句を作っているんだね。松澤昭に傾倒してしまってね。まあ、傾倒するもしないも、松澤昭はしょっちゅう北海道に来ていたの。だから、影響も受けたのだと思うよ。

私、松澤昭の第一句集『神立（かむだつ）』（昭44）に載っているけれど、昭和35年以前に作っている句が一番好きなの。〈凩や馬現れて海の上〉が巻頭なんだわ。その中のね、〈凩に詠唱さるる夜の娼家〉。これは今の若い人にはわからない雰囲気だわ。戦後の焼け跡派の文学だもの。娼家なんて言ったって、いまわからないんじゃない？　昔の曖昧宿、売春宿のこと。「詠唱さるる」というのは、凩がヒューという音。それは、ただ単なる音ではなく、詠唱というのは歌うというか、それこそ詠唱するものだから、そのくらい言いたいような青年の鬱屈した、哀切な、傷ついたような、何とも言えないような。戦後の焼け跡の闇市のあたりの娼家だと思うの。だから、ただ単に風が吹いているのではなく、歌われているのだというふうに。時代性と作った人の青春の傷ましさみたいなのが出ていて、忘れられない句なの。私のその『神立』、松澤昭のサインがあるんだよね。いま気が付いて、びっくりしたよ。

『四季』を創刊してからだけれど、これ、先生の処女句集なの。だから「雲母」時代の作だと思う。先生、「雲母」にも入っていない時代は、登山ばかりしていたのだから、法政出身でね。でも、あまりの抽象味に、だんだん私が離れたんだね。「雲母」に、飯田龍太が松澤昭の評を書いているけれど、詩から入った人だから、抽象とのスレスレのところで勝負しているって。本当のスレスレでね。

だけど、あの先生から勉強させてもらったよ、抽象ということ。助詞一つでバラッと抽象になったりするでしょ。あれは、あの先生から学んだことではないかと思います。どの先生からでも、学ばないということはないのだわ。

そうなんですね。では、ここから処女句集『瞬』の句について、具体的に伺っていきたいと思います。先ほど、「冬の家族」っていい題だと思うとおっしゃったのですが、二十七句中、「子」が四句に出てきて、「子」と出てきていないけれど、例えば、「手話の」とか、「指きらきらと」とか、子どもさんのことを詠んでいるな、というのが八句あります。他のご家族のことは、ここには出てこなくて。やはり一番身近な、そして、一番心にあるものを詠いたいということだったのでしょうか。

函館に転勤させてもらったのは、聾学校が紋別にないでしょ。道庁に、「どこでもいいから聾学校のあるところに転勤させてください」と言ったら、渡島支庁に転勤になったの。そのころは子どものことで頭がいっぱい。どうしても教育するより仕様がないわけでしょ。まだ幼稚園に行っているとき、幼稚園がすぐ町内にあったの。その先生が良い先生で、「聞こえなくても何でもないですよ」と。友だちもできるし、子どもっていいものだね。だんだん大きくなると差異がわかるけれど、本当に近所の子と、幼稚園の子とよく遊んだの。だから、子どものことしか頭になかったんだね。それをテーマにして作ったの。でも、「冬の家族」で第六回の「氷下魚賞」をいただいたときは、選考委員が何人かいたけれど、みんな反対したんだって。だけれど、凍魚先生だけが、絶対にこの作品だと一人で頑張って、これが受賞したと聞きました。凍魚先生は、ここに何かがあると思って下さったのでしょうね。

子どもさんの句が多いということが特徴ですが、特徴と言えばもうひとつ。函館のような海の近くに住んでいらっしゃるのに、海の句がないのです。二十七句中、「空」というのが六句あって、「海」は、たった一句なのです。「波」が一句あるから、結局、二句になるのですけれど。だから、なぜ「海」ではなくて「空」なのだろうと、そこをお聞きしたいなあと思います。海は、視線が下に向きますけれど、この一連では全部、「夜空あり」とか、「空」と言っていなくても「九月の雲」だったり。もしかしたら、「見上げる」とか「顔を上げる」というか、そういうことが表れているのかなと思ったり。

やはり現実が厳しいから頭を上げて、どこかパーッと、空とか雲とかでも。こういう分析、全然されたことがない、びっくりです。こうして見ると、初期の句からして小さな季語ではないものね。ほとんど天候とか気象とか、そういう大きな季語が多いんじゃないかな。よく恥ずかしくもなく、こんな素っ裸の句を出したものだ。俳句の恐ろしさが、まだわかっていないからだね。本当だよ。

凍てはてて厨輝(くりや)く声となる

ああこの句、思い出す。これで初めて『氷下魚』「雑詠壇」の巻頭を取ったの。珍しかったんだよ、まだ二、三年目で巻頭なんて。

先輩方がたくさんいらっしゃったんですものね。

昔の厨(くりや)、台所なんて本当に寒かったんだよ。あなたがたはわからないかもしれないけれど、何もかも凍ったもの。

「輝く声となる」というのは、どういう感じなのでしょうか。

水滴でもさ、茶碗を伏せたら、みんな凍ってきらきらするでしょ。それが声のようだということ。いま見ても、あまり悪い句ではないね。この「冬の家族」というのはね、もともとは「氷下魚賞」受賞作で二十句あるんだけれど、その中から良いのだけ取って句集に入れたんだ。

風のなかの我がこゑ聴けり夜の秋

この句も記憶に残っている。「氷下魚」の夏季大会か何かで、飯田龍太の特選になった句で、龍太直筆の短冊〈馬の瞳も零下に碧む峠口〉をもらったの。それから凍魚先生の

〈鶴こもり枯れいそぐものばかりなり〉も。それにしても、よくこんな句を作ったね。これ、抽象だよね、もうすでにして。どうやら初めから私は写生派ではないみたいだね。

万の虫鳴かせ虫売りさみしがる

　ほんとに初期のこの句だって。

これ、函館の五稜郭の夜店の実景だけど。初めから、私はそういえばホトトギス系ではないね。いま読み返してみると、やはり初めから抽象なんだと思った。この「冬の家族」ね、季重なりがいっぱいあるのだわ。それでも凍魚先生はいいと言って下さった。

　凍魚先生も、ガチッとこうでないと駄目という感じではなかったのですね。

だって、一博さんや高原舎さんたち、すっかり四季のほうに傾倒していたのに、何も文句を言わなかった。偉い先生だと思うよ。「氷下魚」の函館支部がそうだったのだわ。「氷下魚」って「雲母」系で、飯田龍太みたいな、ああいう清潔な、どちらかというと正統的で優等生風な傾向でしょ。だから若手は、もう松澤昭の方に傾いてしまっているの。それで「氷下魚」がなくなったときに二つに分かれたんだよ。「雲母」に残った人と、松澤昭の方と真っ二つに分かれた。でも、松澤昭に行った人は少ないよ。ほとんど「雲母」に残ったよ。だって、「氷下魚」なんて、「雲母」の子会社みたいなものだから。伊藤凍魚先生が飯田蛇笏の大ファンで、「山廬」詣（「山廬」とは蛇笏の別号で、蛇笏、龍太父子の暮らした居宅の名でもある）をしょっちゅう、亡くなる少し前まで行っていたんだよ。蛇笏をすごく尊敬していたの。

これらは「氷下魚」にまだいらしたときの句ですが、先ほども言ったように、もうすでに和子カラーという気がします。

私、いま言われてみると、そうだなと思う。自分でわからないんだよね。人様が見るとわかる。言われてみたら、私、本当に「何々や何が何して何とやら」ではないのだわ。

そうして、何か一つをじっと写生というのでもないのですよね。

うん、そうだね。高野素十のような〈甘草の芽のとびとびのひとならび〉ではないのだわ。でも、そういう句にも、このごろは写生のすごみを感じるようになりました。

とにかく家庭の環境もあって、夫とはそういう関係でしょ。息子は聴力に障害があるでしょ。舅さんや姑さんがいるでしょ。自分の感情の鬱屈した部分をどういうふうに発散したらいいか、結局、俳句の上で発散していたのだと思うよ。

(2)【音楽】(昭和39～49年　37～47歳)

次のタイトルが「音楽」。昭和39年からの作品ですので、もうこれは「四季」に入られたころですね。「39年～49年」となっていますので、十年間の句の中からの厳選の五十一句です。ご自身の中で、「四季」に入ったから「こんな句を作ろう」とか、そういう変化というのはございましたか。

私、例えば、「氷下魚」から「四季」、「四季」から「艀(はしけ)」って移ってもね、自分としては何も変化がない。結社の先生に合わせようという気が全然ないのだわ。だって、「氷下魚」のときに、すでに「四季」風だったのだから。考えてみたら、私は、師事していた先生と一緒に句会をしたことはほとんどない。いつも先生とは、遠く離れた地に住んでいたから。だから別にスーッと入っていけばいいの。

だけれど「四季」に入ったら、みんなうまくて。だって、ずっと松澤昭の薫陶を受けていた人ばかりだもの。まだ『四季』を創刊はしていなかったけれど、松澤先生と同じ句会をやっていたわけでしょ、みなさん。会誌を創刊していなかったけれど、グループとしていろいろ勉強していたわけでしょ。私たち新参者は、「みんなうまいな。私なんかついて行けないいな」と思ったもの。

それくらい松澤昭さんというのは、すごい存在というか、あこがれの俳人だったということですか。

あこがれの先生だった。でもね、私は俳句の世界、俳句ずれしていないというか、俳壇ずれしていないわけでしょ。たかが北海道の田舎で俳句を作っていただけ。大会で東京に行ってみたらびっくりだものね。だいたい来賓がすごいもの。でも、松澤昭についていくうちに、先ほども挙げたような初期のリリシズム、青春性がとても良かったから、抽象とのスレスレの危なっかしさみたいなものに、だんだん私はついて行けなくなったのだと思う。

それで後に、二十年いらっしゃった「四季」をやめて、『艀』創刊に参加なさることにつながっていくんですね。

炎天に言ひ得て影をおぼろにす

序文で松澤昭さんが、「韻文性に徹しきった、つまり心象風景としての繊細さはまことに嫋々として興趣に今でも尽きない」と、この句を絶賛なさっているのです。ですので、この句について、少しお話いただけますか。

自分の家庭生活が、すべて影響しているね。自分の生活に疑いを持っていた。はっきりしたことを言いたいなと思っても、言えないわけでしょ。でも一回、家を飛び出したことがあるから実行には移したことはあるんだよね。「言ひ得て影をおぼろにす」というのは、言いたくて我慢していたけれど、何か言ったんだよね。それは別に夫婦間のことでなくても、友だちのことでも何でも。そうしたら、言ったあと、影がおぼろになるって。何でこんなことを言ったのだろう。やっぱり虚しいと思ったのかもしれないね。そのころはね、こんな分析なんかしていないの。パッと出てきたのだわ。自分の心理分析なんかしないで、何かもやもやとしたもので。

言ったらどんなにすっきりするかと思っていたら、そうではなかったのですね。

言ってしまった後はね、あるいは何か実行した後はね、虚しいものではないかなと。結構、面倒くさいことを考えていたね。やっぱり私、どちらかというと物や事より心情を言っているね。心を言っているね。何かに喩えて言っている。あからさまではないけれど、感情に訴えるというのかな。感情を形に、やっぱり心象造型なのかな。

音楽の曇る迅(はや)さに雪降り来(く)

音楽のはじめ黄色に雪解(ゆきげ)くる

あたたかに楽(がく)の溶けゆく空の下

ところで、タイトルになっている「音楽」を使った句が二句、「楽」を入れれば三句あるのです。「冬の家族」の特徴だった「子」の句は、五十一句中、六句。

もう子どももだんだん大きくなってきたし、ただ、「幼くてかわいそう」というのは通り過ぎたということだね。それが私にとって、普通の当たり前の生活になったということでしょうね。「音楽」を使ったのは、何となく洒落てみたかった。別に、特別音楽が好きとかクラシック好きというのではなく、視覚、見たものの他に聴覚というものも考えていたのかもしれないし。でも、作るときは、そんな意識なんかないんだよね。やはり聞くということにこだわったのかな。

でも、その「音楽」が、音楽そのものではなく「音楽の曇る迅さ」なんですね。

「音楽の曇る迅さ」であり、「迅さに雪降り来」。だから雪が降るのと音楽が一体になっているという感じなんだよね。「音楽のはじめ黄色に」というのは、自分でも良くできたと思った句。色にくっつけたところがね。いまは、そんな発想はないわ、全然。

冬海に片身削がれて逢ひにゆく

これを句会に出したときに、「片身削がれて」に恋愛感情がこもっているという評をする人がいたの。ご想像に任せるけど、句会に来る人の中に、作家の卵がいたの。丹羽文雄門下でね。雑誌記者をしていたの。『函館百点』だとかに雑文を書いて、やっと暮らしていたのだわ。だんだんと親しくなってコーヒーを飲みに行ったりして、その人から雑談をしながらいろいろな文学の話とか聞いたの。いい文章を書く人だったよ。いろいろなコンクールに応募したけれど、うまくいかなかったのかな、文学崩れだよね。周りに誰もそんな人がいなかったから、話をしていて面白かったね。俳句だけの人はいっぱいいたけれどもね。

たしかに和子さんは、俳句というより、もっと広い意味で文学的です。

文学的とは畏れ多いね。だって、私、俳句はたまたまやっただけ。俳句のために勉強をしたということがないような気がする。好きな本を読んで、好きな映画を見てね、好きなテレビを見て。何か書いてくれと言われたときは、本を買ったこともあるけれど、たいてい雑学から仕入れたものだからね、私の読書なんてものはね。ふだんから面白いから読む、面白いから見る。自分の嫌なものは見ない、聞かない主義。そうじゃないの、みなさんも。

いま映画の話が出ましたけれど、函館で映画もよく観に行かれたのですか。

観ました。映画館もいっぱいありましたよ。函館で観た映画で覚えているのはね、『望郷』でしょ、『天井桟敷の人々』でしょ、『ベニスに死す』『勝手にしやがれ』、いっぱいあるわ。一番記憶にあるのは『ウエスト・サイド物語』。友だちと一緒に行って、友だちがポップコーンを食べ始めて、うるさくて。それから映画って一人で行くものだと（笑）。

映画好きだったということと音楽は、きっと重なっておられるのでしょうね。

(3)【ひらがな】（昭和50〜53年　48〜51歳）

霧灯る音に崩れてゆくひらがな
終らない暗算ばかり銀杏（いちやう）散る
虹のぼりきれず三輪車曲る

次のタイトルが「ひらがな」で、昭和50年から53年の五十七句です。「音楽」で「子」を詠んだ句が少なくなったお話を先ほど伺いましたが、ここには「ひらがな」や「暗算」、そして「三輪車」が出てきます。

「三輪車」の句は、大会で何か賞に入ってね、松澤昭がすごく褒めてくれたような気がする。息子の幼い頃や、近所の子どもたちへの思いですね。

秋燕（しゅうえん）に母の軽さの水ちりぢり

烏瓜（からすうり）くらしくらしと母が過ぎ

ところで、それまでなかった「母」の句が、「ひらがな」に出てくるのです。

うちの母は昭和54年3月1日に亡くなったの。

そうですか。けれど、この「ひらがな」が昭和53年までの句なので、きっとお母さまがだんだん弱ってこられたときなんですね。

そうだね。母は喉頭癌で声帯を失っていたし、寝嵩も薄くなっていてね。樺太時代から、兄の放蕩の借金返済でずっと苦労してきた人で、「くらしくらし」は、私のそんな母への思いを、小説っぽく書いたんだね、きっと。でもね、私、あまり母のことを思わないの。

どうしてかと言ったら、母に育てられた記憶があまりないの。姉たちに寄ってたかって育てられたから、姉たちのほうは懐かしいと思うけれど、あまり母は懐かしいとは。

これね、やっぱり私、自分の一家の境遇というものは、普通の家庭よりも「くらしくらし」なんだと思う。底流に兄の放蕩がなかったらと思うの。やはりそういうものがあるから、こういう句ができるんだよね。それを母に代わって言ってもらっているのだわ。

海埋（うづ）めきれぬ足音さくら散る
仏壇にしまひ忘れし寒い海
花便りのせて酸つぱくなる海峡

「ひらがな」のもう一つの特徴として、これまでの句にはほとんどなかった「海」を詠んだ句がたくさん出てきます。もしかしたら「樺太」の思い出にもつながっているのでしょうか。たとえば「海埋めきれぬ」のこの句は、「さくら散る」ですから、やはり戦争の影をお詠みになったのでしょうか。

戦争かなあ、戦争だけでもないね。海のない札幌に住んでいるからかなあ（夫の転勤により函館から札幌に転居）。「海埋めきれぬ足音」というのは、今まで自分が接してきた人みんなの。だけど、そばにもういなくなった人だから、戦争に関わらず、もういなくなってしまった人という意味だと思う。その足音がいっぱいで、海なんて、それでも埋め切れないんですよと。でも技巧の勝りすぎだよ、この句はね。そして、このころになるとね、「酸つぱくなる海峡」のように五七五に収まってないんだわ。字余りなの。やってみようという気になってきたのでないの。昭和43年に札幌に来たんだけど、この「海峡」は、函館だね。

囀（さへづ）りやどの口あけて壜の晝（ひる）

これは、だいたい今の句柄に近いかもしれないね。全然、季語の「囀り」と関係のないことを言っているわけでしょ。「二物衝撃」とまではいかないかもしれないけれど、以前のように何となく首尾一貫していないでしょ。転換が始まったころじゃないだろうか。

そうですね、「囀りや」でバサッと切れていますものね。でも、そうかといって中七下五と全然関係がないのではなくて、そこが巧みです。

松澤昭が言ったことだと思うけれど、離れていると言っても、離れすぎるとわからなくなる。離れていないと駄目だけれども、どこか細い一本の糸でつながっていないと駄目だということだろうなと私は理解したよ。

でも、その一本の糸をわかってくれる読み手がいないと駄目なわけで。やはり松澤昭さんの存在は、すごく大きいですよね。

それは絶対大きいです。俳句は作り手と読み手とでの合作だね。

水ことごとく向日葵（ひまはり）にたちのぼる

こういう句がね、今できないの。一本句だけれど、難しいんだよね。中七に季語があって、余計なことを何も言っていないでしょ。こういう句を作りたいなと思っても、今できないものね。

九月まづ行方知れずの川一つ

これは、「行方知れずの川」と言っているけれど、本当に行方知れずになったものがいっぱいあるなという気がしてね。八月に戦争が終わって九月になったら、あれも行方不明、これも行方不明。それを、ただ「川」と言ったのだと思うよ。こんな句なんてわかってもらえるのかなあ。

(4)【向日葵】(昭和54～56年　52～54歳)

この「向日葵」は二年間で四十五句、次の「読む」は一年間で五十七句。そして最後の「ひとり」は一年間で六十三句。「四季」にお入りになって、いよいよ車輪が回り出したという感じです。とりわけこの「向日葵」になってくると、どういうふうに表現しようかと、すごく工夫や挑戦をしていらっしゃると思うのです。ですので、そのあたりのことをぜひお伺いしたいです。

割箸に弾き出されて冬渚

例えばこの句、「割箸に弾き出されて」までは別に普通の、何ということはない景だと思って読んでいったら、突然「冬渚」、えーって。きっと和子さんは絵がお好きで、お上手だと思うのです。絵画が好きな人の句が色彩的だとかいうのは、よくありますけれど、和子さんの場合は、色彩ではなくて、画面構成なんですよね。これは、まさにエッシャーの「だまし絵風」俳句です。「割箸に弾き出されて」と入口に入って行ったら、いきなり「冬渚」に飛ぶような（笑）。

絵というよりデザインが好き。この句ね、どこかの句会に出して、みんながびっくりしたことがある。食堂か何かの景色なのだわ。昔の割箸、割るときは音がするでしょ。バッと割ったときに「冬渚」が弾き出されたとしたのだと思う。

この句も、そこに冬景色を持ってくるという、一種の心象造型でね。決して楽しい華やかなものではないでしょう、割箸に弾き出されるのが春の景色ではなく、冬景色なのだから、荒涼たるものですよ。

黒板をつぎつぎ埋め夏の海
蒟蒻の裏がはすでに吹雪をり
裏口のつづき立夏のぼんのくぼ

同じ手法だと思う句を挙げてみました。最初の「黒板をつぎつぎ埋め」というのも、黒板につぎつぎと書いていく景を思い浮かべていると、いきなりそこから「夏の海」に連れて行かれるのですよ。いかに心象を表現するか、そのひとつの手法として、だまし絵風俳句があるのかという気が致します。

たしかにこれも変だよね。どうしてここに「夏の海」なのかと思うよね。つぎの「蒟蒻の裏がは」もそうだね。どこかの句会に出して、「こんな馬鹿なことあるかい」って文句を言われた記憶がある（笑）。

でも、そういうことだって、あるかもしれないですし、そこが面白いのですけれど（笑）。

ところで、だまし絵風ってどういうこと？ こういうふうにも読めるし、こんなふうにも読めるしってこと?

というより、入口を入ったら、思わぬところに出て来たという感じ。いつのまにか全く違う世界に連れて行かれたような気がします。エッシャーの場合は「視覚の魔術師」なんて言われていますけれど、和子さんの場合は句を通して、なにかちょっとだまされた気分、でもそれ、嬉しいだまされ方なのです。楽しいだまされ方。「あら、こんなところに来たんですか」みたいな(笑)。

私にしたら、そんなの当たり前だと思うんだよね。「蒟蒻の裏がは」になんて、何にも見えるわけないでしょ。勝手に自分で好きなものを持ってきて、見せればいいんでしょう。別に「吹雪」でなくてもいいんだよ。私は「吹雪」をとったけれど何でもいいの。「菜の花畑」でもいいし。「裏がは」といったら、見えないからこそ見えるでしょ。見せればいいんだわ、自分が勝手に。

「裏口の」の句は、自分でも「できたぞ」と思った句だわ。「立夏のぼんのくぼ」って、やっぱり樺太の誰かを想像したと思うよ。幼いとき、物心がついたときに、裏口を開けたら、まだ埋め立てをする前だったから、すぐに海だったの。そこに母さんか、姉さんか、兄さんか、その「ぼんのくぼ」を想像したのかもしれないなと思う。どうして、ここに

「ぼんのくぼ」をもってきたのか、自分でもわからない。やっぱり自分の中に、ものすごくしっかりとイメージというのがあるんだね。自分の中でしかわからないイメージがあるのだと思う。

ふところのぽかあんと春の大樹かな
兄妹といふこそばゆき穂草かな

では、次の手法にいきたいと思います。「だまし絵風」の次は「掛詞風」、つまり、全然違うものをバンと取り合わせる際に、掛詞のテクニックを使うという方法。「二物衝撃」で、二物を接ぎ木するときに、中七を上から、さらに下にもつながるように作るという手法です。

上からも下からも、どっちにも通じるようなね。

そうです、そうです。これまではあまりなかったのですけれど、この頃になると、この句のように、かなり意識的に使っていらっしゃると思いますが、いかがでしょうか。

「ふところ」の句は、わりと評判が良かった句で、私も大好きな句なの。夫が室蘭に転勤になって、土日と言えば札幌から室蘭へ洗濯しに通っていたの。息子もいるし、おばあちゃんもいるから、夫は単身赴任だったの。ＪＲで通いました。そうすると、どのあたりかな、白老の近くかな。とにかく途中に牧場を通るんだよね。大きな牧場で、右側を見ると樹が一本。何もない柵の中に、樹が一本だけ立っている、芽吹いて。それを見て作った句だわ。これは、すごく自分で印象に残っている。「ふところのぽかあんと」という感じなのだわ。何とも言えない景色。丘になっていて、その緑のうねりの曲線の中に、牛も馬もいなくて、ぽかあんと木が立っているの。今でもきっとあると思う。

ふところが「ぽかあんと」というのと、「ぽかあんと」大樹が立っているというのと、この「ぽかあん」というオノマトペによって、ほんとにうまく上と下をつないでいらっしゃると思いました。

よかった。この句、私のすごく好きな句です。「向日葵」の中では、これが一番かな。そのころの自分の境遇というか、家庭の状態というか、まざまざと思い出す。一人で黙ってね、室蘭行きの急行で毎週通ったよな、という感じ。

隣の句は、「こそばゆき」が上下両方にうまく響き合っていますね。

「穂草」もこそばゆい。「兄妹」もこそばゆい。きょうだいって、兄はもういなかったけれど、まだ姉がいっぱいいたでしょ。しょっちゅう集まってきょうだい会をやっていたの。何となく肉親というのはさ、良いような悪いような、悪口も言ったり、文句も言ったりだけれど、でも仲が良くて。そういうことを言ったのだと思うよ。

墨かすれ雪解千里をひた走る

「えっ」と思うような二物衝撃を、この句では言葉ではなく、雰囲気でつないでいるように思うのですが、いかがでしょうか。

これは、まったくオーバーだね。

きっと墨の黒白のかすれ具合から、発想が雪解の景色に行ったのかなと思いますが。

「千里をひた走る」、大げさもいいところだけど。松澤昭ね、句を作るときは歌舞伎で見得を切る、ああいうふうな気持ちも大事なんだ、中途半端はいけないとよく言っていた。これ、見得を切っているよね。雪解千里を筆の穂先が擦れながらビューッと走ったんじゃないかな。私、ふだん大人しいんだよね。あまり騒がないんだよね。句の上では騒いでいるけれどさ（笑）。

騒いでいらっしゃるのではなくて、潔いというか、ぐちゃぐちゃ中途半端ではない。短気というか、ぐずぐずが嫌なのだわ。「やっちゃえ！」と（笑）。

白魚のしたたりやまぬ曇りかな

これは、『瞬』の見返しに揮毫なさっている句です。

（表紙をめくったところに書いてある句を見て）それ、私の字？　贈呈したときに書いたんだね。あら、うまく書いてるね。気に入っていたんだね、書きやすかったのかも。珍しいね、私にしては。一句一章の句だよね。私、白魚ってね、秋田で見たの。それまで見たことがなかったの。秋田で天秤で売りに来たの。そうして、天秤を下ろして、「しらうおー、うおー」って。「おじさん」と呼ぶと、盥みたいなところから白魚、ぴちぴちと生きているのをね。それを思い出したんだと思うよ。こういう一句一章の作り方、私にしては、ほんとに珍しい。

でも、一句一章に見えて、実はそうではないと思います。この句も、「したたりやまぬ」で上下をうまくつなげて、「曇り」と取り合わせておられますから。

そうだね、「曇り」というのも変だね。ちょっとひねってるね。素直でないね（笑）。ぴちぴちしている白魚は、キラキラしたものでしょ。だから、キラキラとしたくなくて、わざと「曇り」としたのかな。これは、わりにさっとできたような。

かまくらを瞬き出づる母の指

母寝嵩乗りこえてゆく雪解川

母に暁注ぎゐる鉦叩

いよいよお母さまがお亡くなりになられたのですね。そのお母さまを詠まれた句についてお聞きしたいと思います。

さっき言ったけれど、うちの母は昭和54年3月1日、89歳で亡くなったの。その当時にしたら、すごく長生きだよ。自宅で子どもたちに見守られながら逝ったのだから、幸せなほうですね。そうだ、お雛様のときに葬式をしたのを覚えている。「かまくら」の句はね、母は秋田の人だから。母さんの夢がひゅーっと出てきた。

次の句は、松澤先生の添削を受けた句。はじめ「母の寝嵩」だったの。先生に、「この『の』はいらないよ」と言われて外した記憶があるの。「助詞はなるべく省きなさい」と言われて。でも、やっぱり「母の寝嵩」のほうがいいなと思うの。上六になっても「母の寝嵩」のほうがいいよね。「乗りこえてゆく」というのは、結局、薄っぺらくなるじゃない、痩せてしまってね。

「母に暁」って、うちの母、早起きの人だったからね。私たちも全員起こされるの。掃除もきれいにさせられて。それから母は、私たちが学校に行くときに寝るの。憎たらしいこと（笑）。やっぱり何だかんだ言っても母の句があるんだね。

向日葵（ひまはり）のまんなか行つたり来たり枯れ

ああこれ、問題作。何だか訳がわからないんだ。まったく心象俳句だよね。全部作っているわ。実際、うちの近所には向日葵なんてなかった。そこらへんを歩き回れば、向日葵なんかどこにでもあるけれど、そこに通りがあって、行ったり来たりしているうちに、枯れるというの。理屈でどうこうとも言えないものね。まったくの心象風景だと思うよ。

(5)【読む】（昭和57〜58年　55〜56歳）

まずタイトルの「読む」というのは？

山本周五郎の作品を全部読んだの、面白くてね。

霰(あられ)おほつぶ脇役の躍り出づ

樅(もみ)の木の根元に春の蹲(うづくま)り

煮凝(にこごり)の面(おも)テ曇らじ原田甲斐

風花のおそろしかりしきのふかな

物語おんなじいろに暮れて寒

見てきたのだよ、今ごろ（4月）かな。「東北花めぐりツアー」に参加してね。あちこちの桜を見て、このときも会津に行って、これが言われている原田甲斐の「樅の木」ですよと。私の想像しているより、どうっていうほどの樹でなかった。まだ『樅ノ木は残った』一冊だけは取ってあるよ。

大臼歯寒暮ちりちりひろがれる

私、虫歯の神様だからね（笑）。一本も歯がないのだから。この時、すでに入れ歯していたと思うよ。「ちりちり」痛いんだよ、大臼歯だもん。これは身体感覚みたいなものだね。

「ちりちり」が、虫歯の痛さと、夕暮の寒さで響き合っているのですね。身体感覚による掛詞ですね。

蓮根の穴ひとつづつ年をとる

「蓮根の穴」といったら、すぐ思い出すぐらい記憶にある句だね。あれはめっけたんだ、私が。お正月って蓮根料理、いっぱい使うでしょ。おせち作るときにでもできたのかね。

この句も「ひとつづつ」で、上と下とをとてもうまくつないでおられるなあって。

味噌椀にたつぷり夜空春の風邪

「向日葵」よりも、さらに手法も素材も新しいことに挑戦なさっているように思いますが、これは取り合わせの句ですね。

取り合わせだよね。こういうところ、やっぱり「四季」風というか、あり得ないことを、さも本当のように言っているでしょ。味噌椀に夜空がたっぷりなんて、味噌椀には味噌汁がたっぷりあるはずなのに。そこを転換させる手法というのがだんだん身について、しかも季語がなければならないので「春の風邪」にしたのだと思うよ。

「四季」風とおっしゃいましたが、松澤昭さんもわりとこういう作り方をなさったということでしょうか。

でもね、松澤先生のはもっとぼやっとしていて、どこに本体があるのだか。私、幽霊みたいだってよく言っていたけれど、つかまえどころがないという感じ。それだけ技術が上といえば上。個人の感覚の問題かもしれないし。私、どんどんわからなくなっていったの。『神立』（松澤昭の処女句集）を読んでもわかると思う。初めのほうのは良いわ。それに惚れ込んで「四季」に入ったけど、だんだん句がわからなくなってきている。だから、このころ私、一人で悩んで作っていたと思うよ。勉強して、「こうかな、ああかな。こういうふうにしたらいいかな」とか、すごく葛藤して、たどり着いたのがここら辺かな。

皿を積む音真四角に立夏かな

その頃の和子さんの葛藤の跡を、もう少しみていきたいと思います。この句の場合は、聴覚を視覚に置き換えるという工夫をなさっています。

四角い皿を積んでも、丸い皿を積んでも、音は「真四角」。そしてこの「真四角」も、

「音真四角」でもあるし、「真四角に立夏」でもあるし、両方にかかるんだよね。

迷はずに樹の佇(た)つてゐる春の暮
一本の樹に揺れてゐる秋の晴

「迷はずに」というのは、やっぱり自分がすごく迷っていたんでないかな。

この句は、本当に心象造型だと思いました。樹は迷ってもどこにも行きようがないのですけれど。

仕方なしに立っているのでしょ。迷いたいのかもしれないよね、樹だってね。「一本の樹に」は、本当に単純な句だけれど、いい句だと思う。今、見るとね。でも、さびしい句だなと思うよ。何だかこうやって見ていたら、『生年月日』よりこっちの句集のほうが良くなってきた（笑）。

以前に和子さん、『瞬』はあまり好きじゃないのって、おっしゃっていたのですけれど、私は、好きな句がいっぱいと思って。

おしまいのほうになって、言われてみたら悪くないなと。始めのほうは嫌い。だいたい出したくなかったのだもの、この句集。だからあまり愛着もなかったんだよ。それで、こんな、ばあちゃんの病院に見舞いに行くときのでっかい写真（『瞬』の扉写真、本書49ページ）を載せてね（笑）。

⑹【ひとり】（昭和59〜60年　57〜58歳）

着ぶくれし子の散つて水もとどほり
雪虫をつかみそこねてそれつきり
ありつたけ晴れてゐるなり草の骨

では、『瞬』の最後のタイトル「ひとり」にいきたいと思います。もうこのあたりの句になると、表現したいことが滞りなく詠める域に入っていらっしゃるという感じが致します。

例えばこの一句目の句も、「着ぶくれ」ですから、冬なのでしょうけれど、子どもたちが、長靴か何かでバシャバシャ水をはね飛ばして遊んでいる景が見えます。その後、子どもがそれぞれの家に帰って行った後の景が、「子の散つて水もとどほり」。「散つて」は、「水が散る」と「子どもが散る」の両方にかかっていて、ここにもテクニックが見えますが、それよりなにより、「水もとどほり」、この表現がすごいと思いました。

このころね、孫が生まれたし、この近所にも子どもがいっぱいいたの。いつもここら辺で遊んでいたのだわ。そういうところから出来たのだと思うよ。「水もとどほり」はうまいね。自分で言うのも変だけれど。「もとどほり」なんて、ふだん使うなんでもない言葉なのだけれど。

そうです、そうです。そのふだんの言葉で、水面が静かになる景を的確に表現なさっているのがすごいです。「雪虫」の句の「それつきり」にも同じようなことが言えるのではないかと思います。

うん、そうだね。「それつきり」も「もとどほり」も、この下五のために上五中七がきちっとしていないと、こういう感じはできないかもしれないね。このぼわっと突き抜けたような感じのためには、上五中七がどうであるべきかということだね。

「ありつたけ」は上五ですけれど、同じ手法を使っていらっしゃるのではと思います。つまり、ふだん使っている何気ない言葉を使いながら、それとは違う使い方をしてみせる、そして、その言葉に違う角度から光を当てる、そういう感じがします。

日常語というか、俳句的でないふだんの言葉を使ってるね。「ありつたけ」なんて、「ありったけの本、持っておいで」とか、普通使うでしょ。でも、俳句ではあまり使わないかもしれないね。そして「ありつたけ晴れる」とは言わないものね。ところで、「草の骨」って、今、わからない人がいっぱい。

ええ、私もわかりません。教えて下さい。

あのね、冬に雪が降って積もるでしょ。でも、まだ草の先だけ残って、骨のようにピュッピュッて雪の上に出ている。これを「草の骨」っていうの、今は歳時記にも出ていないわ。「氷下魚」時代に習ったの。真冬の季語。まだすっかり降り積もらないで、ちょっとだけ降り残されている、骨のように見える草の先っぽのことなの。

はじめて聞きました。ありがとうございます。

橇（そり）の子のめでたく散つてしまひたる

この「めでたく」にも同じようなことが言えると思うんです。ふだん使う言葉を、意識的にずらして使っておられます。

そうだね、この「めでたく」の使い方も変。変というか、おかしな使い方だよね。橇（そり）遊びしていた子たちが、やれやれ怪我もしないで、さよならって、みんな去っていったかなっていう感じ。日常語にこだわったのかもしれないね。やっぱりね、孫っていいよ。素材、いっぱいある。あの頃ね、いっぱい子どもいたんだ。学校帰り、あっちこっち寄り、あの子、寄り道するんでないかなとか。うちの孫もそうだったから。孫は大事な素材なの、ただ、「孫」と一字も使っては駄目だけどね。

つながつてゐて高からず春の山

ああ私、この句がきっかけになったと思うよ。この句、普通の何でもない言葉なんだよね。普通の言葉を使いたいと思い出した頃だわ。今までみたいに「これだ」っていう目立つような言葉を使わないで、底のほうで言いたいことを抑えて抑えて。なるべく目立たないように目立たないように、だけど一句としてはちゃんとしているよっていう句。この句、当たり前なんだよね。何にも特殊なところがないの。高くない山がつながっていて、そんな富士山みたいな高い山があるわけではない、だけど春の山であるよということでしょ。こういう句、難しいんだよね。

観音の膝のゆるびに秋立てる

言葉ということでいえば、この「膝のゆるび」という措辞にびっくりしました。だって私、いつも観音様を見るとき、なんとなまめかしいと思うもの。

でも、そう思っても「膝のゆるびに」なんて言えません。「ゆるび」ってよくめっけたね。

ほほゑみにきれいなしばれぶつつかる

この句、松澤先生が序文で挙げて、和子さんの随筆の一節を引いて絶賛なさっておられますね。「『生きているということを、何かで証明してみせる』と言ひきつた戦後の生きざまへの決意が、それから四十年たつて、この句の〝ほほゑみ〟のやうなひろがりの中に見果てることができた」って。

この句集で、お礼の葉書やら手紙をいっぱいもらいました。その選句の中で、一番たくさん点数が入っていたのは、たぶんこの句だと思うよ。何て言うのだろうね、人間、いろんなものを取り払ったら、こういうふうになるかなと。人生っていうか、究極はね。やっぱり北海道とか樺太とか「しばれ」ってあるからね、それに「ほほゑみ」だから。あとの衣食住、その他どうでもよくて、人間って最後はどうなるのかな、これが望ましいのかなという。今、思えばだよ。そのときはどういうつもりで作ったのか、たぶん、そういうつもりなのだろう。

松澤先生は、そういうふうにお取りですね。

そうだね。何だか知らないけれど、できたんだね、こういう句ね。

そして、全部平仮名ですね。

この平仮名書きは会津八一の影響。〈おほてらの まろきはしらの つきかげを つちにふみつつ ものをこそおもへ〉、平仮名書きでしょ。塚本邦雄の『秀吟百趣』を読んでいた頃だと思う。平仮名書きっていいなと思って作ったのだと思う。「ほほゑみ」も、旧仮名のこの「ゑ」でないと、「え」では全然、様にならない。

飲食(おんじき)のひとりひとりの桜かな

すごく心惹かれる句です。

これは、木村敏男先生（俳誌『にれ』主宰）が、とてもいいって褒めてくれた。何でもない句なのだけれど、いいの？

ええ、とっても。とりわけ「ひとりひとり」が。「飲食」は当然「ひとりひとり」ですが、でも「桜」を見て感じるのも「ひとりひとり」。結局、人間って「ひとりひとり」なんだと。

やさしい句なのだけどね。この句からタイトルを「ひとり」にしたのだと思う。さびしいものだと思うんだわ、人間って。飲んだり食べたり、桜の下にいたって、結局、さびしい一人の人間だということを言いたかったのかね。ここまで考えたかどうか。

お詠みになった時点で、そこまでお考えになったかどうかはわかりませんが、でも、それがひしひしと伝わります。人間というものの寄る辺のなさですよね。

「飲食」という言葉をわざわざ言うってことさえ、すでにさびしいことだもの。当たり前のことをわざわざ言わなくちゃ、それがなかったら生きていけないのだからね。生きている証拠みたいなものでしょ、飲んだり食べたりする。それを、わざわざ「ひとりひとり」と言っているのは、ものすごくさびしいことでないかなと。

本当にそうですね。ここまで句集『瞬』についてお聞きしてきましたが、やはり句集後半の方が、バリエーションがありますし、深みも厚みも加わってきたような気が致しました。

私も言われて気がついたことがたくさん。『瞬』なんて、ふんと思っていたけれど、そうでもないかなって（笑）。

第三章　『生年月日』の時代

〈第四回インタビュー　令和元年8月17日〉
〈第五回インタビュー　令和元年8月19日〉

第12回北海道新聞俳句賞の受賞インタビューより（70歳、H9）（北海道新聞提供）

ここからは第二句集『生年月日』（平成9・8、艀俳句会）についてお聞きしたいと思っています。「生年月日」というタイトルについては、「あとがき」に「年号が改って以来、自分の年齢を数え違える様になった。昭和の年数より二つ若いと覚え続けてきたのだから。生年月日ならこの先も多分忘れないだろうと、自作の中から選んで題名とした」とお書きです。制作順に五つのタイトルがついておりますので、その順によろしくお願い致します。

(1)【勉強】（昭和61～63年　59～61歳）

囀（さへづり）やゆるやかに樹となつてゆく

それじゃあ、まず最初の「勉強」から。今回のインタビューに当たって、『生年月日』、そして、その句集評が掲載されている『艀（はしけ）』第36号（平成9・9）、第37号（平成9・11）を読んできました。その句集評の中で、杉野一博（いっぱく）さん、やっぱりほんとによく見ていらっしゃいますね。では、その杉野さんも、それから、他のみなさんもお取り上げになっている巻頭の句から伺いたいと思います。

これはね、原稿を平成9年の5月頃に出しているんだね。だから、「囀」を巻頭においで。やっぱり、このシンプルさが良かったと思う。この頃からシンプルを目指していたのかもしれないね。だって、これ、何も言ってないもの。でも、時間の経過はあるかもしれないね。言ってないようでいて、大きいことを言っているのかもしれないね。

すでに「囀の樹」があるのに、「樹となつてゆく」というのは、どういうことでしょうか。

「ゆるやかに樹となつていく」だから、今はまだ樹じゃないみたいだもんね。でもそれは、「囀」があって初めて樹として命が吹き込まれたというか。たぶん、すらっと出たのだと思うよ、そんな難しいこと考えてないんだわ。もしかしたら、その底流に、ゆるやかに「俳句」となっていく、という思いがあったのかもしれないね。

なるほど。でも、すらっと出るということは、やっぱりふだんからそういうことを考えておられたからだと思います。『瞬(またたき)』から『生年月日』になって、和子さんご自身はあまり理屈として考えておられないかもしれないですけれど、私は、句の中に「時間」を取り入れようとしておられると思いました。「ゆるやかに樹となつてゆく」に時間の経過がすごく感じられます。

今ならこういうふうに、もう作れないと思うよ。この頃は、あまり考えずにすらっとできたんじゃないかなと思うよ。こういう句は、考えていてはできない句だもの。

一本の桜月夜となりにける

この句も、同じような形なのです。「一本の樹になる」というのもわかるし、もちろん「桜月夜となる」というのもわかるのですが、合体して〈一本の桜月夜となりにける〉となると、ちょっと妖しい気も漂ってきます。

やっぱりさっきの「囀」の句もそうだけれど、いろんな面倒くさいものを取っ払って、すうっと、というのを目指したのかな。難しい言葉を使うまい、使うまいと、この頃から意識していたのかもしれないね。修飾語とかそういうのはできる限り使わないようにしようと、自戒していたのかもしれないね。

そうなんですね。ところで、いま、修飾語っておっしゃいましたけれど、時間の経過を表す言葉、たとえば「しばらく」というような副詞は、結構使っていらっしゃるのです。

木の膚（はだ）にしばらく映る春の鳥

「しばらく」を使うことで、映る前、映っている間、そして映った後という時間の経過を詠んでおられるのですね。

分析が鋭くて困ってしまう（笑）。そうだね、時間の経過だね。この頃の句のほうがいいね、いまの自分の句より（笑）。〈いちにちの深くに入りし懐手（ふところで）〉だってそういう傾向の句だよね。時間の経過というか。

『瞬』ではあまり出てこなかった「もう」とか「まだ」とかいう副詞も出てきますので、句に時間を取り入れよう、しかも難しい言葉を使わないで詠んでみようとしていらっしゃるのだなと思いました。

八月をひとめぐりせり白半衿

時間ということで、ちょっと見ていきますと、例えばこの句、「姉没後四十年を経て」と前書きがあります。

昭和20年8月、ソ連軍の上陸直後に姉のやぼちゃん（六女八重子）が亡くなって、四十年経ったときの句だね。この姉って、すごくきれい好きで潔癖で。昔の人だから着物を着ていたでしょ。毎日、着物の半衿を取り替えて洗っては、またアイロンかけて。とにかく几帳面できれい好き。姉というと、いつも半衿を取り替えていた記憶がある。「姉」と「白い半衿」は、「八月」と一体化してしまう。だから「ひとめぐりせり」と。それから私、「八月」と言うと、どうしても戦争のことを思い出して。だから「八月」という季語を使ったのだと思う。

今年（令和元年）は、終戦から七十四年。七十四年前の今日（8月17日）、家の中、ぐっちゃぐちゃだった。終戦が決まって、20日に引揚命令だったのだから。駅の中もぐっちゃぐちゃ。街の中は騒然としてね。思い出すよ。

クリスマスツリーの下のごはんつぶ

数へ日の屈（かが）みてなにもかも洗ふ

私の句は生活俳句だと思うの。だから、この句、面白いと言ってくれた人、結構いるのだけれど、私としては不思議でたまらない。物しか言ってない。「クリスマスツリーの下」に「ごはんつぶ」があったって、ただ事実を言っているわけでしょ。この頃、孫がまだ小さかったから、絨毯だってぐちゃぐちゃだった。いつもご飯粒、そこら辺に落ちてたよ。「クリスマスツリー」に「ごはんつぶ」というのが合わないから、異質なものだから、面白がってくれたのかもしれないね。「数へ日の」だって、生活俳句だものね。（倉部(くらべ)）仁子(じんこ)さん（古くからの俳友）がね、和子さんは句会に行ったら別人だけれど、うちに帰ったらごくごく普通のおばさんだよねって言うの。本当なんだわ（笑）。

ころびたる両手まつすぐ冬に入る

　この句もいい句ですね。「両手まつすぐ」なんて、なかなか出てこないです。「両手まつすぐ」で、また「まつすぐ冬に入る」なんですね。

これはね、私の性格そのものだって、誰かが書いてくれた。私、そんな真っすぐな性格でもないんだけどね（笑）。よく孫が転んで、起こしたりしてやったからじゃないかな。

そうだね、これも、両方をかけているんだよね。

雲みんな露西亜へ流れ返り花

桑原三郎さんが、『生年月日』の句集評で、「著者は戦前の樺太生れという。日本の敗戦によって北海道に引き揚げて来られるという辛い体験をお持ちなのだろうが（…）それほどに肉親やら幼児の体験などが作品に表れていないのは、そうした作品が既に初期作品に詠み尽くされているということかも知れない」とお書きですが、むしろそうではなくて、『瞬』にはほとんど出てこなくて、『生年月日』になって、やっと出て来たように私は感じました。それだけの時間を経て、はじめてこういうふうに詠めるのかなとも。

やっぱり詠みたくなかった。詠めなかった。はじめはね。私、この「露西亜」って漢字を使いたかったの。「ロシア」ってカタカナは嫌だった。この頃、なるべくふだん使っている言葉を使おうと思っていた。だから、「すべて」じゃなくて「みんな」。私、「ふだんのように、ふだんしゃべっているように」ってよく言ってたね。

でも、ふだん使っている言葉で句を作るというのは、すっごく難しい。和子さんの場合は、口語と文語のバランスがとてもいいのです。

さめざめと六腑はありぬ木下闇（こしたやみ）
ぎざぎざの灯の点（つ）くぶつかき氷かな
歳晩（さいばん）の子のいきいきと汚れゐる
ぬけぬけと雪降つてゐる絵本かな

畳語のオノマトペを使った句を集めてみました。どれも、日常よく使う言葉ですが、本来の使い方からうまくずらして使っていらっしゃるなあと。そして、こういう畳み掛ける言葉を巧みに使って、リズムも作っていらっしゃいますね。

「さめざめ」とか「ぎざぎざ」とかね。言われてみると場違いな使い方だよね。でも、その場違いがいいのかなあ。「さめざめと泣く」というのだったら当たり前だし。「ぎざぎざのこぎり」と言ったら面白くないでしょ。でも「ぎざぎざの灯の点く」というのは、氷って砕くとでたらめに砕ける、その感じ。ぶっかき氷なの。

「歳晩の子」の句もそうですね。「いきいきとあそぶ」なら当たり前ですけれど、「いきいきと汚れゐる」ですものね。しかもこれ年末で、大人は大変なのだけれど、子どもは自由に「いきいきと汚れ」てるんですね（笑）。

うちの孫は、お姉ちゃんの方が生き生きと汚れていたね。だって、あの流し台の上で水浴びするんだ（笑）。

句集評の中で、「ぬけぬけと」の句も大人気でした。たとえば『艀』（第36号）の『生年月日』特集で、西澤寿林子（じゅりんし）さんは、「絵本の中ではこんこんと降る雪が、よくもまあ、ぬけぬけと降り続くことよ。原色の絵本の童心の世界と、現実の小憎らしい降雪との微妙な対比が、新しい情感を醸し出している」とお書きです。

そうですね。絵本を読み聞かせているの。雪ってもういらないの、私には。雪かきもしなきゃ。だけど絵本の中では、きれいな雪が積もっていて、よくもまあ、ぬけぬけと降っているものだって。子どもは絵本だから喜ぶけれどね。

睡蓮のもののはづみのまくれなゐ

この句も、「もののはづみ」の使い方が秀逸だと思います。

道庁の睡蓮なんだよね。白い睡蓮もあるのに、何であんなに紅くなるのか。「もののはづみ」って言葉が面白いなと思って使ったのだと思うよ。本当は赤くなるつもりもなかったのだけれど、「もののはづみ」でなったと言えば面白いんじゃないかな。だけどね、「まくれなゐ」の「ま」を付けるのにすごく苦労した記憶がある。「くれなゐ」は四文字でしょ。「くれなゐや」でもない。考えて考えて、あっ「ま」だと思って、「まくれなゐ」。これで五文字になったという記憶がある。「真っ暗」の「真」。

からだから出てゆくこゑや春寒し

手庇（てびさし）の内がは少しづつ雪解（ゆきげ）

春月の出かかつてゐる瞼（まぶた）かな

次は、身体についての言葉を使っている句を集めてみました。

「からだから」の句、自分で言うのもなんだけど、いいね（笑）。何でもないことなのだけれど。私、身体髪膚の言葉が多いね。

「春月」の句、これはどういう感じなのでしょうか。

「出かかつてゐる」というのは、出てしまったのでもないし、まだ出ていないのでもない。現実は「春月が山の端とか雲から出かかつてゐる」のだけれど、「瞼から出かかつてゐる」って展開しただけの話。でも展開してみたら、こっちのほうが面白いと思う。本当は空の話なんだけど、「瞼」としたら面白くなったのではないかなと。このころ、何でもやってやれと思っていたのかな（笑）。

鳥けもの草木を言へり敗戦日

「鳥けもの」の句ね、松澤昭（あきら）に「こう言ってしまったら、もう敗戦の句はできなくなるね」って言われたことがあるの。私の中ではね、「言う」ということは「思う」ということ。だから、「言へり」というのは、樺太にいたときの鳥や草や獣や友だちや先生や、その全部を「思う」ということなの。そう自分では作ったつもりだけれど、松澤昭はわかったのだかわからないのだか。「もうこれだけ言っちゃったら、敗戦日の句、作れないでしょ」って。でも、まだ作れるんだよね。

あさつては忘れてしまふ冬木の芽
雪片にまばたきのもう追ひつけず

「勉強」の終わりのほうの二句ですが。

本当は明日なの。でも、「明日忘れる」なら当たり前だもの。「あさつて」のほうが面白いでしょ。もう一歩踏み込めば、こうなるの。

そこが、和子さんなのですよね。

「明日に忘れてしまふ」は、当たり前。「しあさつて」は、えげつない。「あさつて」あたりがちょうど（笑）。

それじゃ、「勉強」の最後の句、「雪片に」。

私にしては繊細だね。北国の人の感じ。雪降っているときって、バーッて、瞬いても瞬いても間に合わないって感じ。大雪のときなんか、そうでしょ。だから、雪国の人はよくわかるけれど、その瞬間を捉えて、それを言葉にして言うというのはなかなか難しいかもしれないね。

(2)【講評】(平成元～3年　62～64歳)

春浅き幹を叩いて水になる

これが「講評」の最初の句です。

まだ「四季」の時代だね。これね、何かの大会で賞をもらった句かもしれない。「水になる」のがいいと言われて。

「幹を叩いて水になる」とは、どういう感じなのでしょうか。

自分が水になるという感じだね。自分がだよ。幹をポンポンと叩くと、自分が水のように透明にきれいになっていくという意味なのだろうと思うよ。なんでこんな句作ったんだろうね。へんな句だけど、なんとなくわかるような……。

彫像のくちづけながし夏落葉

句集評をいくつか読ませていただきましたが、この句を挙げておられる方はいらっしゃらなかったんです。でも、私は好きです。

これ、道立近代美術館の庭です。彫像だから、永久にくちづけしてるよね。かをりさん、好きそうな句だ（笑）。

ええ、とても（笑）。先ほど、句に時間を取り入れたとかいう話が出ましたけれど、あれは、たとえば「しばらく」とか、そういう副詞などを使ってのことでした。ところが、この句は、「彫像のくちづけながし」と、まあ言えば愛の絶頂期を詠んで、そこに季語の「夏落葉」なんですよね。この二つを取り合わせることによって、愛の「絶頂」、けれど、それは「衰退」との背中合わせであると。「絶頂」から「衰退」という時間を、季語の働きによって取り入れているということが言えるのではないかと思いました。季語の底力だと思います。

裸子(はだかご)の臍(へそ)いつぱいの眠りかな
あけがたの手足のからむ雪解(ゆきげ)の木
手が知つてゐるなり鏡餅の底

やっぱり身体を使った句、多いね。「裸子」って、たぶん孫だね。「あけがたの」は、句ができなくて作った句だね。できなければ作るよ、いくらでもね。実際に経験してなくったって、こういう感じって、ないですか? 寝覚めの感じ。「鏡餅」の句は、自分のうちでお餅ついていたからね、昔ね。丸めたとき、底にできるひびを手が知っている。皮膚感覚っていうのかな。

杉菜原たつたひとりをどうしやう

何人もの方が、講評でこの句を挙げておられますが。

私も好きな句なんだよね、自分で。

杉野一博氏は、「ひとりになったら本当にどうしようと、まるで孤独を恐れるような、周辺や経過に気配りをしながら、情感をひろびろと波立たせたのである」とお書きですが、私は、孤独への恐怖というより、むしろ覚悟のように読みました。

自分はたった一人だということなの。私はいつもたった一人だよって。いくら子どもがいても、姉弟がいてもね。「どうしやう」っていうのは、どうしようもないという。本当に、結局はね。自分で意識しなくても、深い意味があるのだと思うよ。そこのJRの野原にね、このぐらいのつくしが生えてくるのね。それが、みるみるみるみる杉菜になってしまう。その速度の速さと言ったら。あら、この間つくしの芽が出たと思ったら、ちょっと行かないうちに、もう杉菜原になっている。そのとき、かえって孤独を感じたのかもしれないね。きれいなんだよ、「杉菜原」って。

このときは、夫はまだいるの。でも、夫がいようといまいと、たった一人だよ、みんな。

でもこれね、本当は自分のことでなく、言葉として出てきたのでないかな。先に言葉があって、それに自分を重ねたのかもしれない。そういうことってあるでしょ。先に虚構を作って、それが虚構でなく、自分の身に当てはめるということもあると思うよ。

電気毛布から足出して一茶伝

このころ藤沢周平にはまってね。全部読んだの。藤沢周平の『一茶』、面白いんだ。結構調べてるんだよ。私、それを読んでね、『艀』に「一茶」について書いている。

そうです、そうです。『艀』（平成3・12）第1号に掲載の、「川の流れのように」という随筆にお書きです。藤沢周平の『一茶』を読んで、小学校でN先生に教わった〈雀の子そこのけそこのけお馬が通る〉〈やれ打つな蝿が手をすり足をする〉の「やさしくて貧乏で併（しか）し面白いおじさん」の一茶像が、「ぐらりと揺らいだ」と。そして、「（俗に徹し俗をつきぬけた）一茶であり、（ただの人なりの非凡さ）を持った俳人一茶の、その複雑な人間像に迫る小説」で、「一読以来、一茶の句は全く違う色彩を帯びる様になった」ともお書きです。

「一茶伝のこの句あたりから、自分の俳句の方向性がちょっと変わってきた」と、和子さんご自身がおっしゃったと句集評にお書きの方もいらっしゃるのですが、いかがでしょうか。そしてそれは、「一茶」とどこかで繋がっているのでしょうか。

何て言うのかな。まだ「四季」にいるときだからね。この句は、「四季」風でないと言うのかな。「四季」って抽象的に物を言うわけでしょ、具体的でなく。だから、リアリティーに乏しいというのか、イメージを大事にするあまり、リアルな部分から逃げているところがあったからね。「変わった」って言ったとすれば、もっと俗っぽく普通にしようと心がけるように、そういう感情をあの本から受けたということかもしれない。三回くらい読んだよ、『一茶』面白くて。俳句はあまり言葉を飾らず、わかりやすく、普通に。普通だけれども奥行きがあるというのかな。

そこが一番難しいです。

そう、それが難しい。普通のまんまで終わったら駄目なの。普通のことを言っているのだけれども普通でない。後藤比奈夫なんか、そうでしょう。一見普通のようだけれど、そうでない。

にんじんやいくつ失せたる映画館

第二回のインタビューの時に、映画が好きだったってことを伺いましたが、ここにも「映画館」が出て来ますね。季語は「にんじん」ですが。

私ね、このころ、映画ばっかり見ていた。函館にいたとき、たくさん映画館あったのだけれど、みんな無くなってしまったんだよね。そのころの感慨だと思うよ。『にんじん』（ジュール・ルナールの小説『にんじん』を映画化した作品）って映画もあったしね。だから人参を見ていたら、そう思ったんでないのかな。

なるほど、それで、「にんじん」なのですね。私は、この句を読んで、古沢太穂の〈ロシア映画みてきて冬のにんじん太し〉が浮かびました。和子さんの頭の中には、太穂の句のことはなかったかもしれませんが、でも、読者には太穂の句も浮かびますから、もしかしたらロシア映画を見たのかなとか、想像が広がりました。この句のもっている世界と、太穂の句の世界とを重ねて読むこともできて、その重層的な作り方が面白いなとも思いました。

そういえば、映画の感想文で受賞なさったことがおありになったとか、以前に伺ったことがあります。

函館でね、「イタリア映画祭」というのをやったの。そのとき、感想文を全国から募集して、『キネマ旬報』だったかな。そうしたら、私が一位になって。「名画座」という函館の映画館で、金一封もらったのだわ。

すごい。なんという映画の感想文だったのですか。

イタリア映画祭で『鉄道員』『昨日・今日・明日』とかね、その中の『家族日誌』っていう映画。今でも覚えているよ。なんて俳優だったっけ、有名な（後で調べると、マルチェロ・マストロヤンニ）。もう泣けてくる映画。敗戦後のイタリアの、兄弟愛の。その感想文を、喫茶店に行っては書いていた。締め切りギリギリに出したら新聞に載って。あのころ五万円だか賞金が出たの。そして、一年間の無料入場券。舞台の上で表彰式をやるって言われたけど、私、夫にも黙っていたから、控室の小さい事務室で表彰状と賞金もらって、知らん顔して家に帰ってきた記憶あるよ。

草刈って荒涼とある手足かな

このあたりの句、みんな、よくわかるようになったと思うよ。『瞬』に比べてわかりやすい、入りやすい句だと思うよ。

たしかにわかりやすそうなのですが、実は、ある意味、難解な気がします。たとえば、「荒涼とある手足」なんて、自分が作るとなると、とてもこんなふうに詠むことはできません。「疲れている」というような言葉になりそうで。自分の手足でありながら、自分の手足でないような感覚でしょうか。

私自身は、うちの草むしりするぐらい。だけど、テレビや何かで、秋田の人たちが畔の道の草刈りをするのを見たの。汗だらだら流してね。単に「疲れる」というより、何て言ったらいいのか、幸福とはいえない人生の一部分、そんな感じかな。

雨夜なる林檎に歯型浮びけり

ここから、「四季」を辞めて「艀」になるの。考えてみたら、私、先生に恵まれていたというか、恵まれていないというか。自分が、この先生と思う先生のそばで句会やったことないのだわ。函館にいたときは、伊藤凍魚(とうぎょ)先生で旭川でしょ。「四季」のときは、私は函館から札幌で、松澤先生は東京。「艀」は杉野一博さんで函館。先生のそばの句会で全部吸収して、良くも悪くも、この先生からと思って句会したことない。結局、自分勝手にいろんな本を読んだり、俳誌読んだりして。多くの方々は、一人の先生から何もかも吸収して、同じ先生に何十年もついているでしょ。それは先生の膝下にあったればこそでね。毎月先生と一緒に句会していたら、変わったと思うよ。でもね、そういう環境ではなかった。だから、いいということも言える。縛られないというか。でも、それが失敗だったかもしれない。それはわからない。それも人の巡り合わせだから、仕方ないものね。

でも、仮にどなたかの膝下にいらっしゃったとしても、和子さんは和子さんの句を作っておられた気がします。「この先生だからこうしよう」なんて、そんなふうには（笑）。

そうだと思うよ、たぶんね（笑）。そういう点では、ものすごく私、わがままだった。そうだよね、自分の意に染まないことを書いても仕方ないものね。そうだったら、やめるものね。やめないでいるというのは、まだ自分で書きたいもの、作りたいものがあったからだね。今、本当は書きたいもの何もないんだよ。句会あるから作ってるの。できないときはできなくてしょうがないんだ。

そう言ってもらうと、ちょっとホッとします。和子さんでもできない時があるんだと思うと。

(3)【名前】(平成4～5年　65～66歳)

二階から降りてくる手話十二月
大声にして音のなし手話御慶(ぎょけい)

「名前」の句はすべて、「四季」をお辞めになって「艀」にお入りになってからの句なのですね。

そうなの。これはね、息子夫婦が手話しながら二階から降りてくるの。私には、何を言っているのかさっぱりわからない。「大声にして」は、つぎの「宿題」の中の句かな。これは、うちのような家庭でなければわからないかもしれない。車を運転しているときにもやるんだよ。片手で運転しながらね。あの人たち、指とか表情も大事なの。表情も言葉の一種なんだわ。

ところで、「四季」をお辞めになったのは、松澤先生との考え方の違いということでしたが。

辞めたのは、平成3年です。考え方の違いだね。先生の句ね、イメージばかり追ってい て、私の目指す「具体的に俗っぽいもので、しかし奥深いもの」というのとは違うの。特異な句だから、『歳時記』に例句として取り上げられているのは〈凩や馬現れて海の上〉ぐらいでね。しかもこの句も、ずっと初期の頃のだから。現俳協（現代俳句協会）の会長もしていたけれど、だんだん、だんだんわからなくなってきた。

それじゃ、そのときに杉野一博さんも一緒にお辞めになったのですか。そして、一緒に「艀」を起ち上げましょうということに？

北海道のメンバーは、みんな辞めてしまった。一博さんは、ちょうどHBCを定年退職したときだったの。それで、いろんな事情があったと思うけれど、斉藤高原舎（こうげんしゃ）さんが、「四季」を辞めたんだから、おまえが一誌立ち上げろとけしかけたらしいのだわ。それで立ち上げた。とにかく、函館にいたいろいろな俳句関係の人を寄せ集めて発足したのが「艀」なの。だから資金が無いでしょ、それで、資金のためにお金を出さなければならないと思って、主立った人たちが出したわけなの。それでも結構、函館から発行している俳誌というものがなかったから、みんな協力してくれてね。

杉野さんを中心として、新しい俳誌を立ち上げようとなさっていた頃のことを、随筆「〜艀と私〜　ゆれてゆられて」（『艀』第33号、平9・3）に、「私たちは、拠っていた大樹の影から這い出して、船とも言えぬ小さなものに乗ろうとしていた。みんなで渡ればこわくない、と言うけれど、みんなの数は圧倒的に少なかった。けれども数ってなんだろう。信頼し合える仲間さえいれば、それが十人であれ五人であれ、私は艀に渡された小さな橋を渡るのに、何のためらいもなかった。みんなで楽しく、自由な俳句の世界へどうぞ、そんな灯が瞬いているだけで充分だったのである」とお書きです。不安よりも希望を抱いて、新しい光に向かって歩き出そうとなさっていた頃の心の動きが、手に取るように伝わってきました。それにしても、この『艀』、すごくいい俳誌ですね。カットもない、何の飾りもないですけれど、表紙も素敵だし、なにより中身がぎっしり詰まっていて読み応えがあります。

いいでしょ。評論もいっぱい載っているし。五十ページ立てにしては、すごく充実していたのだよ。

ほんたうに百八つかな寝てしまふ

この句好きなの、自分で。「ほんたうに百八つかな」、だって数えたことないんだもの。

ないです、ないです（笑）。そして、「寝てしまふ」がいいですよね。

そうだね、「寝てしまふ」は、やっぱり苦心したところかもしれない。「ほんたうに百八つかな」は、まあ出来たとしてもね。「歳晩」とか「年迎ふ」「年送る」では当たり前だものね。結局、あほらしいから寝ちゃったという感じなの。

セリョージャに髭のなかりし薄暑かな

この句も、句集評で何人もの方が取り上げておられますが、この「セリョージャ」っていうのは？

樺太で抑留中に知り合った若いロシアの少年兵。まだ髭も生えそろわない少年兵、いっぱいいたんだわ。あの人たちも大変だったのだわね。戦争というのはどこの国も大変だ。家によく遊びに来ていたの。かわいい子でね。十代の終わりごろだったと思うけれど、本当は「ミーシャ」という名前だった。でも「ミーシャ」では音数に合わないから、「セリョージャ」って勝手につけたの（笑）。

第一句集の『瞬』には出てこなかった樺太が、ここにも出てきます。そのことを佐藤淑子さんが、「和子さんの望郷句である。（…）故郷を捨てさせられた若き日の苦い思いが、思い切り歯切れのいい和子俳句の原点なのかも知れない」とお書きですし、鈴木きみえさんは『いとしのセリョージャよ。お前は髭のない方がずっと美しい。いつ迄もそのままでいておくれ』舞台の真ん中からこんな台詞が聞こえてきそうな一句。サガレン（サハリン）での思い出の中の一ページには違いないが、変にひきずるものがなくて気持ちがよい。中七の表出が絶妙である」とお書きですね。

履歴書の字体涼しく夭逝す

青蔦に匿(かく)れてをりぬ蓄音機

前書きに「函館文学館など六句」とあります。

そう、函館文学館で石川啄木の履歴書見たけれど、すごい達筆だった。明治だから、もちろん筆字。それにしても達筆でたまげた。

ああ、「履歴書の字体涼しく」というのは、啄木なのですね。だから「夭逝す」と。

そうなんだよね。「青蔦」の句はね、どこかのお店屋さん。函館って、土蔵とか塀に青蔦がいっぱいある。そこに昔の蓄音機があるんでないかなと思ったの。句会のあと、みんなでブラブラ行ったような気がするのだわ。

百本の木が驚きぬ秋の晴

あまりの秋晴れに木が驚いているのですね。

秋晴れの素晴らしさを、木に喩えて。しかも「百本」と限定しているのだよね。何百本でもいいんだわ。「木が全部」でもいいのだけれど、「百本」って、耳から聞こえてもきっぱりしているでしょ。俳句って、耳で聞き目で味わうとも言えるでしょう。やっぱり聞いて変なのは駄目だものね。リズムの悪い句とかってあるでしょう。

(4)【宿題】(平成6~7年 67~68歳)

冬木の芽水音廊下曲りけり
寒靄(かんもや)をひと匙すくふ手首かな
真夜中の髪の根元のうすらひぬ
おはやうと動くくちびる春一番
すらすらと嘘ついてをり残雪嶺(ざんせつね)

このへんの句は、夫のことです。みんな病院の句だね。平成6年の1月に入院したの。もう声もあまり出なくなったころかもしれない。

それじゃ「廊下」は病院の廊下、「ひと匙すくふ」は病院食を食べておられる景なのですね。お聞きしたいのは、その次の句の「うすらひぬ」なんです。

「うすらひ」って、「薄い氷」のことでしょ。その「薄氷(うすらひ)」という名詞を動詞化して「うすらひぬ」っていうのは、「おかしいのではないか」と中央の俳誌か何かで言われた記憶がある。でも、「うすらひぬ」って、氷が張ったようになるというか、幸せではない、そういう感じなの。一種の心象風景みたいなもの。切迫した感情みたいなものを表すのに、「うすらひ」を勝手に動詞化してしまったんだね。こういう言葉、本当はないのだよね。

たしかに「うすらふ」という動詞はないんですよね。でも、また出てくるのです。次の「留守」の中に〈電柱を五六歩離れうすらひぬ〉という句もあります。

「うすらひぬ」って、凍ったようになるというふうに使いたかったんだね。「髪の根元のうすごほり」ではない。使ってみたら、あまり違和感ないなと。文法的にはまずいなと思っても、使ってみたのだね。読んでみてどうですか、違和感ありますか。

読んだ一瞬は、あれっと思いましたが、さびしさや不安から「髪の根元」がぞくっとするという感覚がとてもよくわかると思いました。それは、凍るという感覚ではなくて、もっと微妙なものを表すための造語。造語が成功するかどうかは、その句が良いかどうかですから。

その句がよければ、文法を飛び越えることもありだと思います。

そういうものかもしれないね。だって、芭蕉さんにも、文法的にはおかしいという句があるというのだものね（笑）。あえてっていうか、こうしか言いようがなかったのだね。ガッチリ凍るのでもないし。

そうですね。次の〈おはやうと動くくちびる春一番〉、この句もたぶん、入院中のご主人が「おはよう」っておっしゃったんですね。次の〈すらすらと嘘ついてをり残雪嶺〉の「すらすらと」も切ないです。

嘘をつくのは難しい。先生に頼んで、肝臓癌だけれど、癌と言えないから肝硬変にしてもらった。そのくらい言っておかないと。私、嘘をつき通せなくなってしまったの、あまりに病状が進んでしまって。おかしいと本人は思っている、当たり前だよね。あの頃は、癌の告知はしない時代だった。「残雪嶺」だから、春からもう夏になるかなという頃の句だね。平成6年の1月に入院して、余命二ケ月と言われ、10月1日に亡くなった。だから丸九ケ月、病院にいたわけ。10月1日の日付が変わったとたんに亡くなった。私ね、忘れっぽいから、10月1日ってわかりやすい日に。それまで待っていたのかな。

顔洗ふどうして亀は鳴くのかと

あの頃、私、考え事ばかりしていたような気がする。あそこで顔を洗いながら、夫の病気はどうなるのだろうとか、これからどうなるのだろうとか。「亀鳴く、亀鳴く」と言うけれど、本当に鳴くか鳴かないかわからないわけでしょ。だから「どうして」というのをつけたのだと思う。何て言うのかな、考え事の多い日常だったなと。

先ほどの「真夜中」の句やこの句について、杉野一博さんは、自分の出席した句会で出会ったとおっしゃって、「それが無記名でありながら、和子さんの作とすぐ解った。病状の経過など、普段の会話では殆どもらすことはなかったが、表現方法の変化を感じつづけてきた私にとって、具体的状況の説明はどこにもないが、言葉の緊迫感に異常な事態にいる和子さんを感知出来たのであった」(『斧』第36号)とお書きです。やはり心が内へ内へと向かわれていた時期だったのですね。

シーソーのすれすれの草青みけり

塗椀に豆腐の沈む遅日(ちじつ)かな

「シーソー」と「草青む」で一句を作るのはできると思うのですけれども、「すれすれの草」

ってね。そこに目をつけるのが、やはりただものではないです（笑）。

そうかな。病人を抱えて大変なときって、変に神経が尖るのかもしれないね。

私は「シーソー」の句の方が和子さんらしい気がするのですが、句集評をお書きのみなさんは、「塗椀」の句をとても評価なさっています。

そうなの。だけど私には、この「塗椀」の句、そんなにいい句かどうかわからない。私は「すれすれの草」のほうがいいような気がするのだけれど。どうして、みんな、おとなしいというか地味というか、こういう句を。まっとうな句ではあるよね。当時、自分ではたいしていいとも思わなかった句だから、びっくりしたの。ただ、「塗椀に豆腐の沈む」というのも、じんわり後で効くのかなと。「遅日」という季語も、わりに効いているのかもしれないね。

この句集で道新俳句賞（平成9年、第12回北海道新聞俳句賞）をとった時、新聞に載せるのに五句を選べって言われてね。そのとき一博さん、「これがいい、これがいい」って。（自選五句、鹿尾菜煮る背幅生年月日あり／塗椀に豆腐の沈む遅日かな／青蔦に匿れてをりぬ蓄音機／鰯雲積んでロシアの船が出る／寒紅のいろそれぞれの死後の景）

たしかに季語の「遅日」が効いていると思います。「沈む」で、「夕日」とか「夕焼」だったら当たり前ですものね。絶妙な季語のつけ方だと思います。

でも、それだけの話のような気もするし。「塗椀」の艶と、「豆腐」の白と、しかも「遅日」だからいいのかな。いま思うと、しっかりした句だとは思う。「すれすれ」なんかパッと目立つけれど、目立たなくていいのかなという気もするし。今の選句眼なら、「すれすれ」と「遅日」と、どっちを取るだろうね。やっぱり何十年も経つと俳句の見方も違ってくるね。

きつと捨てる白詰草を摘んでをり

「きつと捨てる」が和子さんなのですよね。必ず捨てる「白詰草」だけれど、今は「摘んでをり」というところ。句では「白詰草」のことしか言っていませんが、生きていると、こういうことが結構あります。末通らないことがわかっていても、それをやるしかないというような。このものの見方が和子さんだと思うのです。そして、それを理屈で言うのではなくて、身の回りのさりげないものを通して詠むという、ここが和子句の一番の魅力だと思います。

そうかなあ。これ、孫の七絵とどこか遊びに行って、白詰草で首飾り編むでしょ。でも、飽きたらみんな捨てるのだよね。それでもなお編む。人間て、おかしなものだね。編むときは一生懸命、でも、出来上がってしまうと捨てるのだよね。

横顔に七月の海半開き
逃水を跨（また）いで行つてしまひけり
白粥やはつ秋の息継ぎ足して
目を開けてゐて何も見ず露の空

このあたりの句は、やはりご主人のことをお詠みになったのでしょうか。

そうだね、ほとんど闘病で看病生活だね。「横顔」も夫のことだね。「逃水」の句は、この時には夫はまだ生きていたから、直接的には夫のことではないけれど、やっぱり「死」ということが念頭にあったのだね。「逃水」って、不思議な現象でしょ。追いかけても追

いかけても追いつかないという感じ。たぶんね、死んでしまったら、こうなるのかなという。私このころ、句会にも全く出ないで、よくこうやって句を作っていたものだと思うよ。

このころ、たしか日記を毎日つけていらっしゃったとか。

そう、毎日つけていたの。入院してから亡くなる前日まで。

その日記に俳句をお書きになっていたのですか。

全然、俳句のはの字も書いていないの。ただ、病人とのやり取りだとか、体を拭いてやったとか、笑ったとか泣いたとか、妄想で何を言ったとか、先生と相談したとか、お金がいくらかかったとか、預金を引き出しに行ったとか、そんな話ばっかり。ついでに孫のPTAにも行っているのだよ。学級懇談にも行っている。ほんとに思いのたけを書いた。夫に対する、時には自分に対する愛憎のすべてをぶっつけて。結局、なんだかんだ言っても、あんなに私の外出をきらっていた人も、だんだん呆れたのか、文句も言わなくなって。振り返ってみたら、こうやって俳句も続けてこられたなあと。病院から帰って、一人、夜になると書きつけていましたよ。

ほんとに大変な日々だったのですね。「目を開けてゐて何も見ず」の主語は、死期の近づいたご主人でもあるし、心ここにあらずの和子さんご自身でもあるような気がします。

まばたくや雪虫の湧く本籍地
除籍簿に捺印あまた神無月
顔洗ふ立冬の水掴(つか)んでは
酒二合やうやく冬の墓となる
数へ日の捨てきれぬもの数へをり
カフスボタンも百八つも函の中

「本籍地」は小樽だったんだけど、亡くなって除籍するときに、ここ（札幌）へ移したのだわ。そのときの句だと思うよ。

そうなのですね。〈顔洗ふ立冬の水掴んでは〉の「水を掴む」という表現が、胸に迫ってきます。感情が極まって「わぁー」っていう感じがすごく。永野照子さんが「触れれば個体と化すかの如き立冬の水、それを掴むという行為。主情を押さえ、硬質な言葉と事実を見据える強さの中に、透明な哀しみと痛みが滲み出てくる」とお書きです。

「掴む」というのは、たしかに強い表現だよね。

ええ、普通は「すくう」くらいですものね。

「すくって洗う」のなら当たり前だものね。「掴む」と言わざるをえない心境だった。何もかにも、あのころ、よくやったと思うよ。孫の学校のことから、病人の始末から、お金の心配から。別に、お金が無いわけではなかったけれど、だんだん預金は減っていくし。〈酒二合やうやく冬の墓となる〉の「やうやく」で、やっとやりとげたと思ったのかね。

後ろの二句は、遺品整理をしようと思っていたときかな。夫のネクタイピンとカフスボタン、これはまだ持っている。でも、全然、整理なんてできなくて、小さい箱にいっぱい。まだどこかにあるはずだよ。

長生きの指北窓を塞ぎけり

夫が亡くなって一人になったら、こういう感じになったのだね。「長生きの指」って、私のことを言っているのだわ。夫よりも長生きしていますよと。長生きも長生き、92歳まで生きているのだから、すごいね（笑）。夫は、私と同い年で67歳で亡くなった。もう二十五年経ったんだね。

今から思うと、お若かったですよね。前にも話題になりましたけれど、この句でも身体の部位の取り上げ方が面白いです。「長生きの指」って。

「指で塞ぐ」なんてわざわざ言わなくてもいいのにね。うるさい？

いえいえ、単に「指」じゃなくて「長生きの指」っていうから、面白いんです。人間全体で長生きしているのに、「指」が独立して長生きしているみたいで。そして、皺があったり、節くれ立ったりしている指が目に浮かびます。

十二月八日ラジオのうす埃

「十二月八日」、開戦日。私、これ、耳で聞いたの。女学校二年生のときだった。お弁当をハンカチに包んでいた時、ラジオから「南太平洋上において戦闘状態に入れり」って。学校中、大騒ぎだったよ、でも軍国少女だったよね、みんな、あのころ。

和子さんより一歳年下の私の母も、負けるなんて思っていなかったって言っていました。

そう、最初は全然思ってなかった。「万歳万歳」って。でも原子爆弾、当時は新型爆弾と言ったんだけど、町にある文房具屋さんとか大きな商店に貼ってある号外に、「新型爆弾が落ちた」って。私たち「新型爆弾て何だろうね」って、歩きながらヒソヒソ、ヒソヒソ。そのころはね、ヒソヒソ話さないとすぐ憲兵隊に引っ張られた。負けるなという気はしていたね、そのころには。ああいう雰囲気って嫌だな。考えたらザワザワする。

ばらばらに目鼻の戻る大朝寝

こんな気しない？　目が覚めて、手が覚めて、足が覚めて、「ああもう朝か」と。

します、します（笑）。でもよく「ばらばらに目鼻の戻る」なんて出てきますね。和子さんの頭の中をのぞいてみたいです。

鹿尾菜（ひじき）煮る背幅生年月日あり

句集名の「生年月日」というのは、この句からでしょうか。

そうですね。「あとがき」にも書いているけれど、自分の年を忘れると、昭和から二つ引いたらいいの。ただね、この句の「背幅」は、私でないのだよね。鹿尾菜を煮ているのは母なんだけど、なんとなく後ろ姿のことを「背幅」って言ったのだと思うよ。およそ句集の題名らしくないですね。

夏暁（なつあかつき）わたくしごときが犬と居り

このころ、うちに犬いたんだ。あの犬の名前。忘れてしまった。「わたくしごとき」って、本当にそう思ったのだね。うん、思ったよ。何て言ったらいいのかね。嫌になってしまったのかもしれないね、何かにつけて。自分をね。

「わたくしごとき」、これも和子さんだと思います。犬といると、ご主人様である人間のほうが、何かさもしいような感じがすることってあります。むしろ、畜生と言われている犬のほうが立派って思うことありますから。この感じはすごくよくわかります。

この「宿題」は、ご主人のご病気、看病、そして死という大きな出来事があった時期の作品ですね。

そう、こうやって見ると、俳句は、人生の履歴書みたいだね。

(5)【留守】(平成8年　69歳)

晩年の飯つぶ白き桜かな

ここからは、和子さん69歳の作品です。この句では、「白き」が掛詞的な修辞法として使われているのですね。「飯つぶ」の「白」であり、「桜」の「白」。ところで、「晩年」とありますが。

いよいよこれ、自分の老いを感じているのだね。ここでやっと「晩年」って出てきたよ。

船長は留守突堤のきりぎりす

この句は、「留守」句群の中程にある「小樽港三句」のうちの一句なのですが、タイトルの句でもあります。

中現俳（中北海道現代俳句協会）の研究会で、小樽港の吟行会だったかな。巡航船みたいなのが停泊していて、見学させてくれたの。鈴木光彦先生（当時「氷原帯」主宰）とか我々とかがぞろぞろと。案内してくれる方が、機関室から船の中を全部案内してくれたの。そのとき「今日は、船長は留守なのです」って言った。それが耳にあったんだね。突堤に「きりぎりす」なんかいたか、いなかったのか知らないのだよ。ただ「船長は留守」というのを使いたかったのだね。

だけど、この句が面白いのは、「船長は留守」って「船長」が出てくると、高柳重信の〈船焼き捨てし　船長は　泳ぐかな〉が浮かんできますから、和子さんの句だけでもおもしろいし、この重信の句を下敷きにして読むという読み方もできて、二度おいしいって感じなのです。この時に、和子さんの頭にあったかどうかはわからないですけれど。

私、作るときは全然頭になかった。だって、実際「今日は、船長は留守なのです」と言われたのだから。みんなも一緒に聞いたはずなのだけれど、何を句材にするか、その人その人で違うね。句に対するアンテナは常に磨いておけと。

そうなんですね。ただ、船を焼き捨てた「あの船長」が、海を泳いで、さてどこへ行くのか、そんなことを思い合わせてこの句を読むと、また別の味わいがあります。

やっぱりいろいろな見方があるね。

鰯雲積んでロシアの船が出る
水を騙し我らをだまし水母（くらげ）浮く

「小樽港三句」の残りの二句です。私たちが「ロシアの船」と言うのと、和子さんが「ロシアの船」とおっしゃるのでは、やはり重みが違いますね。

実際に、ロシア船が泊まっていたの。汚いのだよ。錆びていてね。いかにも貧乏たらしい船なのだわ。「ロシア」とカタカナで書いたけれど、前は漢字で「露西亜」と書いたこともある。

洋服と鏡の間氷りけり
冬木立わたくしごとを申します
割箸でつまみだしたる寒気団

「洋服と鏡の間」って、本当に私、どうしてか「間」とか「幅」とか。これ、自分でもうまくできたと思う。ほら、あそこにあるあの「鏡」だからね。鏡台の台が壊れて、鏡だけが残っているの。「冬木立」の句も、私、好きなの。

これは、どんな感じなのですか。冬木立と会話する感じでしょうか。

自問自答している感じなんじゃないの。だって、誰も話し相手いないし。「割箸」の句は、句会で結構点数が入って、面白いと言われた句だ。思い出した。

短夜やどこまでも友達でゐる

ところで、この句、どういう意味だと思う?

そうですね。たとえば、女学校の同級生で今でも付き合っていらっしゃる、和子さんと静香さんのような関係を思いますね。「私たち、何があってもいつまでも友達よ」って。

私は、そのつもりだったの。ところが、そうでない解釈をした人もいてね(笑)。

えっ、どういう解釈ですか?

あのね、この『生年月日』の出版記念会のときに、ある先生がスピーチしたの。そして壇上で、「和子さんの、この中に〈短夜やどこまでも友達でゐる〉というのがありますが、僕は和子さんと手を握ったこともありません」て。私、「えっ、この人、何言うの」って、びっくり仰天したのだわ(笑)。みんなも笑いこけてた。

そっちは全然考えませんでした（笑）。

コロッケはあしたにしやう大西日
向日葵（ひまはり）を掲（かか）げわたしの朝ごはん
雨雲の過ぎし縮緬南瓜（ちりめんかぼちゃ）かな

この三句は、どれも句材が食べ物です。

このころの生活感覚。自分一人でご飯作って一人で食べて。だから「コロッケ」も出てくるし、「わたしの朝ごはん」も。だって私ね、いつもここで朝ご飯食べるわけでしょ。あのマンションの建つ前は、原っぱだったの。「向日葵」も咲いていた。荒れ地だったけれど、そこに向日葵が咲いていて、私、たった一人だけれど、あの向日葵があるからいいさ、いいさと思って。そういう感じなのだね。「掲げ」っていうのは、わざわざ掲げないとならないくらい独りぼっち。だから、わざわざ掲げさせたの。これが「向日葵が咲いて」では駄目なのだね。

私、どうもね、固有名詞でいいのがあると、俳句作りたくなる。ただの「南瓜」は嫌なの。「縮緬南瓜」でないと駄目。チリチリチリとなった、皮の滑らかでないのあるでしょ。その「縮緬南瓜」というのを使いたかったのだわ。「雨雲」なんか、過ぎても過ぎなくてもどうでも良かったのだわ（笑）。縮緬南瓜の存在感みたいなね。

少年の腋下ひろびろ秋の風

「腋下ひろびろ」なんて句、見たことないと思って。

ああ、カモメを見たときだな。本当はね、カモメの腋下でした。

ええっ。

そうなの、カモメなの。だけど、それを「少年」にしてみたら、案外いいんじゃないかなと、どうですか。うちに「新」という男の孫がいるけれど、だんだん成長して幼年から少年へと変わってゆく感慨でしょうね。

カモメにしろ少年にしろ、ふつうなら「腋下」に目がいきません。しかもそれが「ひろびろ」

だなんて。どうしてわざわざ腋の下、そして「ひろびろ」（笑）。

まだなにもない、きれいな腋の下、だから「ひろびろ」。仕方のないばあさんだね（笑）。

抱きしめるものなし冬の夕焼は
一列に潤目鰯の目が暮れる
卵食ふ口のまはりの寒波かな
身を屈め喪章のしばれ外しけり
寒紅のいろそれぞれの死後の景

巻末近くの五句を挙げましたが、どれも大好きです。

「潤目鰯」の句ね、「一列に」というところがいいのかな。

「一列に」とあるから、目がずらっと並んでいる様子、そして、それらがおしなべて暮れていく感じが伝わって面白いのだと思います。それに、本当は「空が暮れる」「あたりが暮れる」なのに、「目が暮れる」って、和子さん流のひねりが効いています。

「卵食ふ」は、かをりさんが取ってくれたものね。

句集評では、どなたもこの句に触れておられないのですが、私は、大好きです。それで、現代俳句協会のホームページの「現代俳句コラム」にこの句を取り上げて、句評を書きました。どこに惹かれたのかを書いておりますので、おこがましいのですが、ちょっとここで一部を紹介させていただきますね。

――卵を食べることには、他の物を食べることとは違う感覚がある。切り身の魚を食べること、ましてや野菜を食べることとは違う感覚である。それは、有精卵にしろ無精卵にしろ、ひとつの命を丸ごといただくという感覚である。それも未生の命を、そっくりそのまま。それが「寒さ」につながっているのではないだろうか。卵を食べているのは屋内であり、食べるという、あたたかさに繋がる行為をしていながら「寒さ」を感じているのである。それは、他の命を食ふ「寒さ」であり、生き延びるためには「食ふ」という行為をせずにはいられない「寒さ」である。しかも、「寒波」という極めつけの寒さ、寒さの親玉をもってきているところが、なんとも魅力的である。さらに（…）この句の向こう側に浮かび上がってくる句がある。（…）西東三鬼の「広島や卵食ふ時口ひらく」である。掲句の作者の藤谷和子は、昭和2年樺太生まれ。18歳の時、ソビエト軍の侵攻、それによる日本軍との戦闘を経験している。作者が、三鬼の句を意識していたかどうかはわからない。けれど、掲句の背後には、たしかに戦争が重低音のように響き、掲句を一層、重層的立体的にしているのである。

私、これ、やっぱりね、西東三鬼の影響あると思う。「広島や」の句の他に、〈緑陰に三人の老婆わらへりき〉ってあるでしょ。その「口が昏い」というイメージがある。そこから来ているのかもしれないね。この句、生々しい、生きている人間という感じがするね。

ええ、ほんとうに。

〈身を屈め喪章のしばれ外しけり〉〈寒紅のいろそれぞれの死後の景〉、これはね、「にれ」の編集長が亡くなって、そのお葬式に行ったときにできた句だわ。若くして亡くなったのだわ。

巻末のこの「寒紅」の句について、鈴木光彦さんは「孤独」というキーワードを使って、次のように読み解いておられます。「孤独が立ちあげた作品は、大方独り言の吐露になることが多い。しかし、この章の最後の一句に至っては、その孤独を切り開いた掲句、終末の心象に到達している。読み手は絶句して、血の気の退く思いに立ちすくむばかりである」と。たしかにこの句は、巻末にふさわしい句ですね。これで『生年月日』を最後までみて参りました。和子さんは、この『生年月日』で、平成9年に「第12回北海道新聞俳句賞」を受賞なさっておられますね。

『生年月日』は、全く準備もなく、突然「出そう」と決めて、六百句ぐらいから四百句に絞って、ばたばたと出版したの。当時、私は発足以来ずっと中現俳（中北海道現代俳句協会）の幹事でしたが、いろいろ人間関係に嫌気がさして、いきなり幹事を辞め暇になったので、ばたばたと出した句集ですよ。「道新俳句賞」なんて、寝耳に水、唖然としましたよ。

そうだったのですね。その折の記事が、平成9年11月4日の北海道新聞に載っています。「難しく考えず　呼吸するように」という見出しでインタビュー記事が載っているのですが、その中で「最近、俳句を難しく考えるのをやめたんです。気持ちに色を付けないでいると、普段見えないものも見えてくるでしょ」とおっしゃって、「呼吸するように俳句を作れたらねえ」と目標を語っておられます。

選考委員の方々の選評も載っておりますが、その中で、木村敏男氏は「常套を抜け出た発想の妙に群を抜く趣があり、噛み応えのある一本であった」とお書きですし、園田夢蒼花氏は、「類希な鋭い感性を、柔軟で自在な表現のオブラートに包んだ作品には、どこか精巧な美術品を撫でさする趣があってうっとりさせられる。適度の意外性も魅力の一つに数えてよかろう」とお書きです。今回のインタビューで、和子さんが何度も言葉を換えて、「具体的で卑近なものを、やさしい言葉で詠みつつ、奥深いもの」とおっしゃっていたことが、選考委員の方々にみごとに伝わったのではないかと思います。『生年月日』を堪能させていただきました。

第四章　『アンソロジー』から「草木舎」へ

〈第六回インタビュー　令和元年8月26日〉
〈第九回インタビュー　令和2年6月24日〉

『円熟作家アンソロジー』（本阿弥書店刊）掲載写真（77歳、H16）

ここからは、平成16年2月、本阿弥書店発行の『俳句の杜5　円熟作家アンソロジー』についてのお話を伺いたいと思っています。このアンソロジーには、自選百句とエッセイが載っているのですが、前回までに句集『瞬(またたき)』と『生年月日』のお話をお聞きしましたので、『生年月日』以降の四十八句、平成9、10年の頃からの作についてです。七〇代にお入りになった和子さんが、どのような句をお作りになっているのか、とても楽しみです。

I『アンソロジー』の時代（平成9～15年　70～76歳）

学校の廊下枯向日葵(かれひまはり)が佇(た)つ

まず「向日葵」の句です。俳人には、もちろんすべての俳人というわけではありませんが、その人を代表する花ってあるような気がするのです。たとえば、私の最初の俳句の師だった津田清子は、「曼珠沙華」だと勝手に私は思っているのです。奈良の明日香の畦道に、秋になるとだーっと咲く、それを毎年見に行くのだとおっしゃっていました。そういうことで言えば、和子さんの花は、「向日葵」ではないかと思うのです。

えっ、向日葵？　私、向日葵の句、そんなに作っているかな。あまり作っていないはず。

ええ、たしかに句数はそんなにないのですが、私の中では、和子さんの第一印象と相俟って、「向日葵」と和子さんが強く結びついているのです。

　水ことごとく向日葵にたちのぼる　『瞬』

向日葵のまんなか行つたり来たり枯れ　『瞬』

向日葵を掲げわたしの朝ごはん　『生年月日』

こんなふうに和子さんの「向日葵」の句が、印象的な句ばかりだからかもしれませんが。

ああそうか、ここ一番というときの「向日葵」（笑）。この句はね、私が僻地の分校の先生をしていたときの思い出なの。一年生から六年生まで、全校で二十人ぐらいしか生徒がいなかったの。この句、ある結社のK先生と論争になったのさ。「これ、おかしいのではないか」と言われた。誰もいない分校の放課後の廊下、木造のね。たしかに、そこに向日葵が立っているわけないのだわ。イメージとして書いたの。校舎の中にはないけれど、校庭に枯れた向日葵が見えるわけ。それを廊下に立っているようにイメージしても悪くない、だから書いたのだよ。

そうなのですね。ところで、和子さんは全く意識なさっておられないかもしれませんが、「廊下に佇つ」とくると、やっぱり〈戦争が廊下の奥に立つてゐた〉という渡辺白泉(はくせん)の強烈な句が浮かびます（笑）。だからこそ、一層深い思いにとらわれます。「向日葵」も「枯向日葵」ですから、戦争のことなんてこれっぽっちも言っていないのに、それを読者に感じさせるという作りになっていると思うのです。有名句を下敷きにして、句を重層的にしているというう、みごとな作り方だなあと思いました。

なるほど、読み方、いろいろだね。そういうふうに読んでくれる人もいるし、「廊下に向日葵なんか立っているわけない、わけがわからない」という人もいるし。でも、そんなこと言ったら、俳句なんか、そんなわけのわからないことばっかり（笑）。「わけある俳句」なんて、つまらないよね。

ひんやりと海峡わたる桜かな

ああこの句、函館を思い出す。桜の咲くころ、北海道はまだ寒いから。瞬間の肌寒い皮膚感覚みたいなものを言ったのだと思うよ。

「桜」という花のもつ「冷やかさ」ですね。

そう、桜の開花前線がすうっと海峡を渡ってくる、という感じだね。花びらではなく、桜自体がね。

たくさんの酸素を送る蛍の夜
郭公（かっこう）がきこえる骨になる途中

隣り合っている二句ですけれど、尋常ならざる思いが伝わってきますので、じっくりお聞きしたいと思います。

これはね、姉のことなの。旭川にいたすぐ上の姉が膠原病で亡くなった。何度も通ったのだわ、お見舞いに。そうしたら、「喉を切開して、酸素を送ります」って。「酸素を送ると植物人間になるけれど、いいですか」と言われて、姪が「それでも生きていてほしいからお願いします」と言って。そのとき、姉弟みんな立ち合ったの。この姉のことはね、本当にかわいそうだったなと思う。その後二十日間ほど植物人間だったの。亡くなったのは、札幌で「よさこいソーラン」をやっていたときだった。一博(いっぱく)さんがこの句を、普通に生きている私たちに酸素がいっぱいあったほうがいい、というふうに取ったの。私は、その場でいちいち説明しなかったけれどね。

「郭公がきこえる」の句はね、この姉を焼くときの火葬場で出来た句。辻脇系一さんが「俺、あの句読んだとき、ザワッとした。俺が骨になる、焼かれる」と。「いや、違うのですよ、姉のお葬式のときなのですよ」って。永野照子さんも言うの、「これ読んだら鳥肌立った」って。本当はね、姉が焼かれている間、外でみんな休んでいたの。いい天気でね。そのとき、ちょうど「カッコウ、カッコウ」って聞こえたの。だから、いま焼かれているのだなと思いながら作った。リウマチで手がこんなに腫れていたけれど、おしゃれな姉だった。三つ違いの姉だったの。やぼちゃんと私の間の姉です。

私は、そういうご事情はわからなかったので、和子さんが、ご自身の死を見据えて詠まれたのかなと思いました。というのは、前回、〈晩年の飯つぶ白き桜かな〉のところで、「いよいよこれ、自分の老いを感じているのだね」とおっしゃっていましたでしょ。だから私、ここまできて、さらに「死」までを見据えた句、もちろん誰かの死とも読めますが、ご自身を投影した句とも読めますものね。

私はまったく姉のことと思って作ったけれど、時間、それも「途中」というのだから、読む人が自分のことのように思ったということもわかるね。俳句は、こわいね。

　ええ、「骨になる途中」ですから、お姉さんを焼いている途中でもあるし、あるいは、自分が死ぬまでの途中とも読めます。

焼かれている最中でもあるし、人生半ばということでもあるんだね。その場に実際居合わせたというのは、やっぱり句の底力になるんだね。フィクションだけではこうはできないわ。

朧夜（おぼろよ）の口固く閉め正露丸

　この「の」が和子さんらしいなあと思いました。「朧夜や」ではなくて「朧夜の」です。「朧夜の」で一旦軽く切れているのでしょうけれど、「朧夜の口」と「口」に掛かっていくとも読めます。

このころはね、「や」なんか使わないから。上五の「〜や」っていう句、ないでしょ？

ほんとにそうですね。「かな」はあるのです。「けり」は少ないけれどまだあります。でも、「や」はほんとに出てきませんね。それは、和子さんが意識的になさっていたことなのでしょうか。

そう、意識的にね。上五を「や」で切ってしまったら、中七、下五には何でもつくように思って。だけど、「や」で切ったほうがいいなと思うようにもなったよ。この「正露丸」って、くさい丸薬なの。日露戦争の頃に発売された薬で、だから昔は、「露西亜」の「露」に、出征や征伐の「征」の「征露丸」だったよ。ほんとは「征露丸」という言葉を使いたかったんだけどね。

まうしろに海明けてゐる答辞かな

この句も、和子さん流に言えば、ひねくれているのかも（笑）。「正面」じゃなくて「うしろ」、それも「まうしろ」です。

これも分校に勤めていたときの感じなの。私の勤めていた分校は、山の中だから海なんてないのだけれど、イメージ。海辺の学校はこうだろうと思って。「答辞」というのを使いたかったのだわ。「海明け」と「答辞」って、ちょうど卒業式シーズンでしょ。厳密に言えば季重なりかもしれない。「答辞」というのは卒業式だから。でも、そのことを全然考えなかった。

季重なりについては、全く気になりませんでした。ところで、「海明け」というのは、北海道の季語なんですね。関西人の私には全く初めての季語なので、調べてみましたら、「北海道のオホーツク海沿岸地方で、春になって流氷が沿岸から離れ、出漁が可能になること」って。夜が明けるように、流氷で閉ざされていた「海が明ける」ことなのですね。

寝て起きたら、昨日まであった流氷が、風の吹きようでいっぺんに無くなる。一夜で真っ青な海。すごいよ、あれは。でもまた風の吹きようで、いっぺんに戻ってくることもあるの。答辞を読んでいる生徒のうしろに、海がバーッと明けているイメージです。

「海明けてゐる」から、卒業の子どもたちに未来が開けていてほしいという作者の思いが伝わってきました。「まうしろ」の「ま」も、気持ちの切実感と響き合っていると思います。

そういうふうに読んでくれたのね。自分でもこの句は好きです。

いづれそのうちはつとりとけいてんに雪

これね、道立近代美術館。あそこで第二次大戦やベトナム戦争の報道写真展があったの。有名な写真家ロバート・キャパとかのね。それを見に行ったの。銀座なんて真っ黒けの焼け跡になっていて、そこに「服部時計店」がぽつんと残っていた。それから、亡くなった幼子を背負っている「焼き場に立つ少年」という写真、知らない？　先日、ローマ教皇も手にしていましたね。

ええ、知っています。あの有名な写真ですね。

あれです。あれを見たの。短パンで小学二、三年ぐらいの男の子。自分の親か兄弟が火葬されるのを直立して見ている。背中には、もうたぶん死んでいる赤ちゃん、妹か弟でしょうね。その赤ん坊を背負ってね。あれを見たとき、涙が出て涙が出て。周りの人に恥ずかしいから、美術館の庭でひとり泣きましたよ。季節は夏だったけど、その日に見た銀座の焼け跡のあの時計店を思い出して、無事焼け残っても、いずれ冬がきて雪が降るぞ、って思った。いずれそのうち戦争がって。戦争の記憶がなまなましく甦ったんだね。この句、全部で十九音。字余りもいいところ。だけど、どうしてもこのままで、「雪」だけを漢字、あとは全部平仮名にして出したかったの。どうも私、戦争に偏りがちだね。

それは当然です。本当に印象深い句です。

この髪にさはつてごらんすぐ凍る
初蝶にもうすぐ汽笛追ひつくよ
先日のつづきへ花の雨どうぞ
この子どこの子ぽんぽんだりあ咲いて

このあたりから、口語、それも会話をそのまま句に取り入れようとなさっているような気がします。もちろん今までにも口語体の句はありましたが、より挑戦的に（笑）。

思い切って言っちゃえってね（笑）。「この髪にさはつてごらん」て、まったくの会話体だね。でも、この句、悪くない。すごい自己主張なのだけれど、さりげなく、うまく逃れた自己主張だと思うよ。誰でも、自分に言われたのかなと思うのじゃない。「さはつてごらん」て言われたら。「先日のつづき」は、「艀（はしけ）」の大会のあとにできた句でね、二次会が終わってもまだ話し足りなくてという感じだったのだと思うよ。「この子どこの子」はね、句会で披講する人が、「この子誰の子」って何回も間違えて大笑いになった（笑）。

このころね、日常の中で、例えばこの部屋の中で、どれが俳句の素材になるかというのを探していたのかもしれない。普通の会話の中でも、これ、俳句になるのではないかなと、探していたのかもしれないね。

雪を払って書出しの一行目

何か原稿を書いていたときだね。超結社の句会にこの句を出したら、ある人が「こんなバカな句はない」って、すごく怒ったの。雪を払って字を書くなんてことあるかって。

それを言っちゃうと、俳句の世界が狭く狭くなってしまう気がします。

これから書こうというとき、さあ書くぞと決心するわけでしょ、「一行目」を書くときの決心のさまを言ったのだよね。

たとえば、机の「ほこりを払って」とかでは全然面白くない。さて書きましょうというときの、心象風景ですものね。

白髪に蹤いて来るなり雪解の木

平成15年、和子さん76歳の頃の句です。

それこそ老いを感じて、白髪を染めなくなったころ。自分が行くところに、「雪解の木」がいつまでも「蹤いて来る」というふうに、句意から言ったらそうだよね。それをどういうふうに皆さんが読んでくれるかなと。自分としては、自分の白髪頭に、いつでもどこかに雪解の句があって、行くところ、行くところ、それを引っ張って歩いているような気分だったのだと思うよ。いよいよ老いたのだわ。

Ⅱ「孵（はしけ）」最晩年時代（平成16～21年　77～82歳）

ここからは、『アンソロジー』（平16）以後、草木舎（そうもくしゃ）俳句会としての最初の俳誌『草木集』（平22・12）が出るまでの数年間の句について、『孵』掲載の句（第76～111号）を中心にお聞きしたいと思っています。和子さんの、結社「孵」の最晩年時代ということになるでしょうか。

ビタミン剤並ぶ食前食後雪

まずは、和子さん77歳の時のこの句から。何でもないことですけれど、面白いです。最後の「雪」が効いていますね。

これは日常詠だね。「ビタミン剤並ぶ食前食後」までいって、あと二文字足りないなと思って、「雪」ってつけたのかもしれない。

でも、この取ってつけたような「雪」が、それゆえに印象的だとも言えます。

私、平成3年の『孵』創刊から、平成21年12月に辞めるまで「孵」にいたけれど、これは本当に最後の方の句。いま、「気ままに俳句」（『艀』に連載していた俳句評論）を読んだら、自分で言うのも変だけれど、ちゃんと書いているよね。びっくりする。自分で、よくこんなに書いたなあって。また、あのころ、本もいっぱい読んでいたのだわ。だって、見たら開高健だの、いろいろな名前が出てくるもの。

忘れてもいいよ北窓開きけり
約束は百年後なり蛍とぶ

「忘れてもいいよ」って、誰に語りかけているのか、きっと特定の誰かじゃない気がします。それゆえ、読む側は自分に呼びかけられているように感じるのかもしれませんね。

何でこんな句できたのだろうね。いま考えると、自分でもわからないの。でもね、だんだんどうにでも作れると思ってきたかもしれない。あまりにそれが高じて駄目になったのかもしれないね。

「忘れてもいいよ」が魅力的です。例えば自分が死んだあと、「私のことなど忘れてもいいよ」とも取れますし。

本当は、忘れてほしくないのだわ。だけど、もうね、「忘れてもいいよ」って言っているのかもしれない。

「約束は」の句も、同じようなものが底流にある気がします。

「約束」って、必ず守られるとも限らないし。「百年後」ぐらいだったらお互い死んでいるから、あの世で「あら、あのときの約束、果たしましょ」と言っているかもしれない。「約束」というもののはかなさというのかな、確率の無さというのがあるよ。今日、約束して、明日、死ぬかもしれないわけでしょ。

季語の「蛍とぶ」が、そのことを一層効果的に演出していますね。

やっぱり年齢も関係あるかもしれないね。

裸木(はだかぎ)になりきるまでをずる休み

この句、結構評判のよかった句なんだけれど、本当は、「裸木になるまでのずる休み」なのだ。だけど、そうすると字足らずなの。だから「なりきるまで」と。ただ単に字足らずだから。

いや、字足らずでも、他の言葉を入れることだってできますから。葉っぱ一枚も無くなってしまう「裸木になりきる」が、この句の肝（きも）だと思います。

俳句ってね、五七五の型でしょう。でも、型にとらわれたら駄目だと言うけれど、型にならないと、それはそれでまた駄目だものね。この句、無理やり五七五にしようとして、「なりきる」と言って良くなったかもしれない。

ほんとうに。そして、無理がありません。和子さんは音数に合わせるためっておっしゃいましたけれど、和子さんの俳句に対する感覚が、その言葉を必然的に選んだのだと思います。

本当は合わせるため（笑）。私ね、考えてみたら、表現がきついわ。ふんわり柔らかい表現というよりも。断定して独断専行だね。

指ぜんぶ使ひはるがきた春が来た

これは手話、指文字の句なの。「春」を表す手話もあるけれど、これは指文字で「は・る・が・き・た」なの。私、もう指動かないからできないけれど。

五十音、ひとつずつの文字に、指文字があるのですか。

そう、だから「はるがきた」とわざわざ平仮名にしたの。手話教室に通ったときのカードをまだ持ってるよ。

「指ぜんぶ」を使って、春が来たよろこびを表しているのですね。

夕暮の蛍袋を出ておいで

うちの裏にいっぱい花を植えていたとき、「蛍袋」もあったの。あれって、何か入ってそうでしょ。

ほんと、入ってそうです（笑）。

だから、入っているなら、もう夕暮れだから、あんたもう出ておいで、という感じ。「出ておいで」と言っているのだから、もう頭から何か入っているという前提のもとに言っているわけでしょ。「夕暮れだから出ておいで」というのを、「夕暮の蛍袋」としたの。

「夕暮や」ではないので、いろいろ取れますよね。蛍袋の中に「夕暮」が隠れているとも取れますし、蛍袋に隠れている「何か」を「出ておいで」と誘い出しているとも取れます。

そっちのほうが強いかもしれない。「夕暮や」では切りたくなかったの。やむを得ず使うときもあるけれど、上五の「や」は、なるべく使いたくない。

先ほどもそうおっしゃって。ほんとに和子さんの句に、上五の「や」切れはほとんどありませんものね。

言われてみて、自分でびっくりするよ。

明けましておんなじ目鼻おめでたう

この句ね、どこかの俳誌か総合誌で、こういう面白い句があると取り上げられたことがあるのだけどね。だって、「おめでとう」と言ったって、昨日と同じ顔で、何もめでたくもないのだもの、本当だよ。もう見飽きた顔で皺だらけのね。だけど、お正月だったら、鏡を見たら「おめでとさん」と言わなければならない（笑）。

当たり前のことですけれど、でも、どうしてこんなふうに出てくるのか不思議です。

私、今ならできないわ。何と言うのかな。ぱっと出てくるのだよね。あまり考えないで。例えばね、本を読んだり、テレビを見たり映画を見たりしている、そういうものがいっぱい、ごちゃごちゃと詰まっているのだね。それが、あるとき、別にたいして一生懸命考えてもいないのに、ぱっと出てくるのかもしれない。自分でもわかりません（笑）。計算してはできない。計算して作った句というのはあまり良くないわ。ぱっと出てきたのがそのまま句にならないときは、訂正したり削ったりするけれど、根本はやっぱり、ぱっと何か出てくるのだわ。私だけでないと思うよ。みんなそうだと思うよ。

ところで、「おんなじ」というのがまたいいですね。「おなじ」を「おんなじ」という口語にして、リズムを整えていらっしゃるんですね。だから、とても口に馴染みます。

ここまでが筍（たけのこ）の皮あとは雨

これ、実感なの。皮のついたままの筍をもらったの、箱でね。そうしたら、ごみ、すごいのだわ。皮を剥いて剥いて、もう嫌になってきてね。やっとここから食べられるって。「あとは本物の筍」なのだけれど、「あとは雨」にした。全然、雨なんか降っていないよ。それは転換だよね。どこに逃げようかと。

ブエノスアイレス・リスボンは雨木の根明く

宇多喜代子さんが講師として北海道現代俳句協会に来札されたときに、出句した句なの。何位だかに入賞したんだけれど、休憩時間にある主宰から字余りを指摘されたの。「藤谷さん、どうしてわざわざ字余りにしたの。ちゃんとおさまるようにできるでしょ」って。「ブエノスアイレス」と言ったら、八音だものね。五文字の都市と言ったら、何かあるかな。「ロサンゼルス」「バンクーバー」では駄目でしょ。私、とにかく「ブエノスアイレス」でないと嫌なの。街の名前が好きだったのだからね。南米のスパニッシュ系の、アルゼンチンタンゴでないと駄目なの（笑）。一息に「ブエノスアイレス」と言えば、何でもないでしょう。中七がちゃんと「リスボンは雨」となっているのだからね。わざと字余りにしたのだよね。五七五できちんとおさまっていいのと、あまりおさまりすぎないほうがいいというのもあるのでないかなと私は思うのです。平らかでないというのも、ひとつの魅力なのじゃないかなと。

私、あまりね、五七五にこだわらないのだわ。だって、俳句ってリズムだから。句またがりの句もいっぱいあるわけでしょ。読み下して、何となく身体でこのリズムは嫌だなと思わなければいいのだわ。少しぐらい字余りでも、字足らずでも。

そうしたら、別に中八もこだわらない?

こだわらないよ、呼吸して自然だったら。だって、どうして五七五という形式になったのだろうと思うけれど、神代の昔から、呼吸とかに合わせて、たぶん韻律があったのだと思うよ。歌というか言葉として、相手に意思を伝えるときに言いやすいし、覚えやすいものね。呼吸法として言いやすかったのではないかなと思うよ。だから、例えばそれが八音の固有名詞であっても、読み下して何でもなかったら、私はいいと思うよ。

水平線全開岬の草の花

これ、室蘭の吟行句です。

それで、『艀』第98号（平19・11）に倉部仁子さんが「室蘭吟行会」を書いていらっしゃるのですね。平成19年8月23日にＪＲで室蘭に出かけたとお書きです。句会もなさったようで、十一名の方の句が載っています。「水平線全開」とはすごいですね。

だって地球岬、まさに「水平線全開」だもの。三六〇度見える。みんなでイタンキ浜へ行って、鳴き砂の浜を歩いたりもしたんだよ。

冬凪の敷きつめられし柩かな

喪服一日吊られし壁の冴返る

「斉藤高原舎さん逝く」という前書きがあります。函館で優しく俳句の手ほどきをしてくださった高原舎さんがお亡くなりになったのですね。杉野一博さんと斉藤高原舎さんは同級生で、昭和6年生まれだとお聞きしたと思うのですが、昭和2年生まれの和子さんはこの時、

81歳でいらっしゃいます。

そう、函館へお葬式に行ったの。ロータリークラブの理事だかだったし、会社関係もあったから、本当に立派なお葬式だった。感じのいい、優しい人だったよ。寒いときだった。私、追悼文を書いたんだよね。

ええ、「高原舎さんと函館」というタイトルの追悼文が『艀』第101号（平20・5）に掲載されていますので、ちょっと読ませていただきます。

—今思い返してみても不思議なのですが、高原舎さんといつどこで初対面の挨拶を交わしたのか、全く記憶がありません。イッパクさん（杉田一博さんのこと）が札幌へ移られたあと、句会を引継がれた高原舎さんが居て、お茶を出しながら最後まで句会の様子にじっと耳を傾けておられたお母様がいて、新関幸至さんや若い交通局のみなさんや、私の横にちょこんと坐っていた幼い私の息子や、そんなあの家の部屋の様子が浮んでくるばかりです。そしてそこにはいつも、当時から大人の雰囲気があった高原舎さんの笑顔がありました。（…）思えば高原舎さんは、以後の私の生涯に、俳句と函館の地という、抜き難い濃密な時間を与えて下さったのだと、今さらながら思いおこされるのです。

俳句初学の頃の和子さんの、俳句へのきらきらした思いと、高原舎さんをはじめとする函館での思い出とが、強く結びついておられるのだなと改めて思いました。函館を去られてからも、函館をお詠みになった句が多いこともなるほどと思いました。

かたまつて夜明けを待ちぬ葱（ねぎ）の泥

息子のお嫁さんの実家が帯広なの。11月の終わり頃に帯広に行くとね、ジャガイモやら葱やら人参やら、いっぱいもらってきて、それを地下室に入れておくの。それでね、地下室に靴を取りに行こうとか、ジャガイモを取りに行こうとすると、いつも泥のついたままの葱がバッとあるから。それで作ったのだと思うよ。

「かたまつて」が、「泥が固まって」とも、「みんなで寄り合って」という意味の「かたまって」にも取れて、面白いですね。そして、「夜明けを待ちぬ」の「ぬ」は、完了の助動詞の終止形ですから、ここでぱっと切れるのでしょうけれど、「葱の泥」にかかっていくようにも思えて、葱が寄り合って夜明けを待っているような感じもあります。和子さんの句の特徴のひとつだと思いますが、重層的に読むことのできるところが、大きな魅力だと思います。

あらたまのあをぞらのあくお重箱

お正月の句だね。一博さんが札幌に来たときの新年句会だ。

「あらたまの」「あをぞらの」「あく」と「あ」で頭韻を踏んでいらっしゃいますね。

ほんとだ、頭韻なんて自分では全然意識していなかったんだよね。けれど、こうしてみると見えすぎだね。ちょっとひねりが見えすぎるというのかな。

ひねりが見えていると言えばそうですけれど。でも、ひねりは見えていてもいいんじゃないでしょうか。言葉遊びの句として気が利いていますし、お正月の楽しい気分まで伝わってきます。

そう言われれば、「あ」音で揃えたのが良かったのかもしれないね。

ええ、五十音の一番最初の「あ」の頭韻で、すごくおめでたい気がします。まさに「淑気満つ」という感じです。

晩年は相当永し葱のひげ

これはね、当たり前だって、一博さんに叱られた句。

そうですか。単に「永し」ではなくて「相当永し」、この「相当」がよく出てきたなあと思います。「相当」という措辞と、どうでもいいものの象徴のような「葱のひげ」、ここがこの句の肝だと、私は思うのですが。

そうだね、私も「相当」というのが面白いと思うのだけれど。一博さん、私がこういう句ばかり作っているから嫌になったのだと思うよ。もっともっと鋭い、わけのわからないくらいとんがった鋭い句でないとね。そして、私もついていけなくなった。どうして私と合わなくなったのかな。いや、もう潮時だったのだ。今まで我慢していたのもあると思う。自分で自分に正直になれずに、自分の気持ちに目をつぶっていたところがあると思うのだよね、お互いに。それに、私ってほら、あるときブツッと切れるのだよね。ある瞬間に自分で気がつくのだわ、あっと。何で私、こういう我慢をしているのかな、もうやめたと。

それまでは別に自分でも気がついていないのだわ、たいしてね。でも勉強もさせてもらったよ。

ところで私、さっき、「気ままに俳句」を読み返してみて、自分で言うのも変だけれど、ちゃんと書いていることにびっくりしたって言ったけれど、開高健がピカソについて書いていることを引用しているの。

『艀』第76号（平16・5）の「気ままに俳句」の、〈天才と思ふ刻過ぎ明易し　久野雅樹〉を取り上げての句評ですね。せっかくですので、それを紹介したいと思います。

—我々凡人は、稀にひょっとしてそう錯覚したにしても、そんな刻は一瞬の間に消え去り、もう夜が明けて現実に立ち帰るのだ。そして「天才とは一％の才能と九九％の努力」だと思い至って安心するのである。愚かで愛すべき人間。でも、これは自分のことを言っているのではない。遙かに仰ぎ見る存在の人を指しているとも読めるからだ。開高健は『ピカソはほんまに天才か』という著書の中で「ピカソは単なる煽動者にすぎなかったのではないか。そうでなければ、あの仰々しさやおしつけがましさの説明がつかない」という意を書いている。それにしてもこの短詩形は、いろいろなことを言える、よめるものだと思った。

この頃、こんな本を読んでいたんだね。そして、言われてみれば、ピカソ様がやったから、みんなが芸術的だのなんだのって評価する（笑）、たしかにそういうこともあると思ったよ。

堅穴を栗の実採りに出払つて
音みんな空へ還りぬ月夜茸

これは、函館の大船遺跡を吟行したときの句。「中空土偶」も発見されて国宝になったの。それで、その近くの鹿部（しかべ）の温泉で「艀」の大会をしたの。遺跡を見てできた句だね。

たしかに、「竪穴」住居はその時ご覧になったのでしょうけれど、「栗の実採りに出払つて」で、もう和子さんの意識は時空を越えて縄文時代に飛んでいます。この『艀』第111号（平22・1）で、平成3年からの和子さんの艀時代が終わるのですね。その第111号からもう一句、「月夜茸」の句です。「音みんな空へ還りぬ」、この世からすべての音が消え去ったような感覚ですね。「月夜茸」が、また幻想的です。

あら、いいね。もうできないわ、こんな句。松澤昭にも一博さんにもついていけなくなったけれど、でも、どんな人にでも勉強させてもらったよ。いっぱいいね。

第五章　「草木舎」を起ち上げて

〈第七回インタビュー　令和元年9月14日〉
〈第八回インタビュー　令和元年9月28日〉

北海道現代俳句大会にて（84歳、H23）

いよいよ「草木舎」のことをお伺い致します。まずは、なぜ「艀」をお辞めになって「草木舎」をお立ち上げになったのか。今までにも一端をお話いただいておりますが、そのあたりから、どうぞよろしくお願い致します。

本当はね、私、一人で辞めて、どこかの結社に入ろうと思っていたの。フリーになって、選を受けたかった。平成3年に杉野一博さんが「艀」を立ち上げた時から、一生懸命やってきたんだけど、じっと自分の心に向き合ってみると、何か無理して我慢してるなあと。発足以来二十年、今まで書いたこともない評論らしきものや、随筆、句評、「気ままに俳句」は八年も続いたし、自分なりに一生懸命やったという自負もあった。おかげで勉強もさせていただいた。何より82歳という年齢が、自由になることを切望していたんだと思うよ。悔いなし、です。

それじゃ、新しく結社を立ち上げようとして、お辞めになったのではなかったのですね。

そうなの。私一人で辞めるつもりだったの。「艀」を辞めたのが平成21年の12月。それで、本当に探したの。北海道では、もう名が知れてしまっているから、本州の大きな結社に入ろうと思って。同人誌ではなく結社誌で一度選を受けたかったの。私は辞めるけれど、札幌の「艀」のみなさんとは、今まで通り句会をしようと思っていた。ところが、そう思っているうちに、札幌のみなさん方もみんな辞めてしまったわけ。

そうだったのですね。草木舎俳句会の第1号は、お辞めになった一年後の平成22（二〇一〇）年12月18日に発行なさっています。和子さんをいれて十二名のスタートだったのですね。第1号に和子さんの「ご挨拶」が載っていて、そこに句会の名前についてお書きですが、どのようにしてお決めになったのでしょうか。

それはね、みなさんに公募したの。みなさん、考えてきてと言ったけれど、あまりいい考えがなくてね。それで、どこにでもある名もない「草や木」でいいと思っていたから、「草木」にしたのです。「舎」というのは「学び舎」という意味があるでしょ。「松下村塾」の「塾」のような感じ。結社ではなく塾のような感じの意味で、「舎」というのをくっつけてみたのです。そうしたら、ちょっと様になったかなと。

なるほど、「草木」そして「舎」には、そういう思いがこめられているのですね。第1号に掲載の「ご挨拶」を紹介させていただきます。

――私たちは、今までずっと続けてきた句会に、新しい名前をつけました。「草木舎」といいます。いつでもどこにでもある草や木のように、普通に当り前のように俳句と共にありたいという思いがこの名前に結びついたのだと思います。この一年間、どこにも発表する機会がなかった作品をまとめてみました。毎月の句会で互いに刺激しあいながら産まれた作品です。これからも自由な発想で、易しくて難しいそして不思議な俳句に向きあって参ります。今後とも、どうぞよろしくお願い致します。平成二十二年十二月　草木舎俳句会代表　藤谷和子

ここからは、いよいよ今に至る十年間の俳句を伺うということになります。年齢で言えば、83歳から92歳の作品です。

どこをつまんでも鶯餅凹(へこ)む　〈第1号、平22〉

醤油辣油(ラーゆ)くつつきあつて明易し

まずは第1号の始めの方の二句を挙げました。本当に日常の当たり前のことを、やさしい言葉でお詠みになった句ですね。だけど、それが一番難しいことだとも思います。見たまま、

ありのままを詠んで一句として成立するかというと、そこがなかなか。だから、どのようにして俳句にするかということを、すごく考えていらっしゃるのだなと思いました。例えば「鶯餅」の句。本当に見たままなのですけれど、誰もこんなことを句にしようと思わなかったものを、こう言われたら、やっぱり句になっています。

あのね、私が言われてみたらそうだなと思うのは、桑原三郎さんの句なのだわ。あの人の句集が好きで、よく読んでいたから、影響あるのかもしれないね。

そう言えば以前に、〈死んでから先が永さう冬ざくら　桑原三郎〉を、とても好きな句だとおっしゃって、『艀』第99号（平20・1）の「気ままに俳句」にも、桑原さんのこの句についてお書きですよね。それを読んでみます。

―そんなこと考えたこともなかった。死はすなわち無だと思っていたから。併（しか）し、霊魂不滅ともいうし、朝夕水や花を供えたりもするし。向う岸から誰か来て教えてほしい。そこにも別な世間や人生があるのか、それとも永遠という時間が流れているだけなのか、それもなかなかしんどいのではないか―。淡く頼りなげな冬ざくらのうしろに、途方もない真実がかくされている気がして、さらりと読むか、どきりとするか、ご自由にどうぞ、と作者に言われているようである。

桑原さんの句はみんな好きだけどね、これはずっと好きな句。これね、はじめて見たときびっくりしたよ。こういう句を作る人、いるのだと思って。

それじゃ、「鶯餅」に話を戻しまして、「鶯餅」の目のつけどころ、そして、特にこれというテクニックを使っているようには見えないのに、一句にするところ、こういう句が今までの和子さんの句にはなかったような気がします。

そうだね、あまりないね。こういう句を作るときは大変、すごい大変。あれも捨て、これも捨てね。それだけしか、絶対言わないぞと思ったら、それしか言わない。

第1号のこのあたりの句、新しい和子さんだと思いました。一見、脱力系俳句ですが、実は大変な力技だということも、今、お話をお聞きして感じました。

次の「醤油辣油」の句、これも日常の中から何とか句にしようと思っていらっしゃいますね。そして、「季語」によって俳句に飛躍するということがよくわかりました。

私ね、俳句に季語があってくれて、どれだけ助かっているかと思うよ。「醤油辣油くつつきあつて」だったら、何も別に当たり前でしょ。だけど、「明易し」とか、たとえば「夜長」でも何でもいいけれど、季語で助けられているなと思うよ。

だから、無季で作るのは並大抵ではないのですね。ところで、「醤油辣油くつつきあつて」に季語の「明易し」、これはどうなのでしょうか。

どうして「明易し」を持ってきたのかということ？　あのね、レストランでも、ラーメン屋さんに行っても、卓上に酢だとか醤油だとか置いてあるでしょ。そうしたら、お客が帰って誰もいなくなっても、醤油と辣油はくっつき合ったままで夜が明ける、その無人になったテーブルの上を思い浮かべるのさ。「醤油」と「辣油」なら語呂もいいしね。誰もいなくなったね、もう夜明けだねって、醤油と辣油が話しているかもしれない。「くつつきあつて」というのが、人間くさいね。

としよりになるはたやすしせりなづな

〈第2号、平23〉

季語ということで言えば、この句です。いきなり下五の「せりなづな」で飛ばしておられます（笑）。

たしかに飛ばしているね（笑）。全部平仮名にして。

どうして「せりなづな」って思いますけれど、たとえば「薔薇」では全然だめですものね。

だって「せりなづな」って、そこら辺に「たやすく」生えているものだもの。春の代詞みたいなものだからね。本当にすぐ年とるよ、お気をつけあそばせ（笑）。

はい、でも気をつけていてもとりますものね（笑）。

それにしても、本当にたやすく年寄りになったね。病気してから、特にそう思うよ。それまであんまり元気すぎたものね。フリーになった次の年（平成22年）の7月に手術したの。最初、足が痛くてね、歩けなくなって。整形外科に行ったら、大きな病院に行きなさいと紹介状を書いてくれた。それで、検査したら心筋梗塞ですと言われたの。その日のうちに入院。もうびっくり。すぐに手術したの。そのとき、いろいろ調べたでしょ。そうしたら、大動脈瘤が二つも見つかった。腹部と胸部。

それは大変だったのですね。そんな中から第1号をお出しになったのですね。

そう。7月に心臓の手術をして、その年の12月に第1号を出したのだよね。出さなければならない、出さなければならないって思っていた。そして、その翌年の1月に、今度は大動脈瘤の手術を二回したの。だから、病院にばかりかかっていた。でも、俳句が支えだったと思う。入院するとき、何も持たないで、短冊と句帳だけ持って行ったの。入院中、俳句は全然作れなかったけれど、俳句と俳句の仲間が支えだった。

しやぼん玉いくつもいくつも沖壊れ
いろいろなさよなら夜のぶらんこに

〈第2号、平23〉

とても惹かれた二句です。

この二句は、震災のときだ。そう、この年の3月11日の東日本大震災のとき。このころ私、飼い犬の「メメ」を連れて、いつもそこの公園に散歩に行ったの。ブランコがあるのね。被災地の子どもたちも、バラバラになったわけでしょ。ブランコに乗って、「僕は明日、お母さんの実家に避難するんだ」とか、「さよなら」をいっぱいやったのだろうなと思って。「しやぼん玉」は壊れるものだけれど、「沖」まで壊れてあんな大津波。

震災の句とはわからなかったので、私は、「しやぼん玉」に映っている沖が、つぎつぎと壊れていく景だと思って読みました。しやぼん玉が壊れれば、映っている沖も全部壊れてしまいます。お作りになった事情を聞くと、また思いは深くなりますが、でも、それを聞かなくても心惹かれる句です。

永き日をひがないちにちにはとりで

〈第3号、平23〉

この句は、芝不器男（しばふきお）の〈永き日のにはとり柵を越えにけり〉が下敷きにあるのでしょうか。

そう、あの句から。ただね、あの句がなぜあんなにいい句だと言われるのか、私、いまだによくわからない。何でもないのがいいのだろうか。

ただ事を詠むことの、ただ事のなさでしょうか。

「ひがないちにちにはとり」でいたら、どんな気分だろうね（笑）。

きっと脱走したくなりますね、柵越えて（笑）。

三つぐらい柵越えてね。帰ってこられなくて、誰かに捕まって食われているわ。あの句、鶏を脱走兵として読めばいいのじゃないの。いずれにしても、チキンフライか何かで食われてしまう。それにしても「永き日」なのに、一日いっぱい鶏でいるというの、どれだけ退屈なことか、そしてどれだけ素晴らしいことかわからないわ。

昭和八十六年夏の塩むすび　〈第3号、平23〉
八月や千代に八千代に米磨いで

やっぱり和子さんの中では、まだ「昭和」というのは終わらないということですね。

そう。この年、昭和に換算すれば「八十六年」なの。昭和ばっかり、私にはね。

この二句から、その思いがズンと伝わってきます。そして、どちらの句も、「塩むすび」「米磨いで」と、日本人の主食である「米」につながっていきます。

人間、米を磨いで食べなければ駄目なのだわ。なんせ生きることの第一番目にはね。

「八月や」の句について、そのあたりのことを、「四季」の元編集長だった市川榮次さんがとても丁寧に読み解いておられますので、紹介させていただきます。「この句根底には八月十五日が歴然とあり、生と死を分けた戦争の悲劇が横たわる。農耕民族である日本人にとって主食は米、戦前・中・後と飢餓から飽食の時代を生きた作者にあって、日々の営為に欠かせない米を磨ぐ行為は、生きる証し。この国の人間として生を受けた者として永久の平和を願う、との熱きメッセージが込められた作」とお書きです。

鳥渡る地に鳥の名をこぼしつつ

〈第3号、平23〉

中七下五の「地に鳥の名をこぼしつつ」が、なんともいいなあと。本当は「声」なんでしょうけれど、自分の存在の証である「名」をこぼしながら渡っていくというところ、胸に響きました。

私、この句は自分で好きだよ。例えば、椋鳥の大群が「ムクムク、ムクムク、ムクムク」って自分の名前を落としていった。

定型を壊し整へずつと雪

〈第4号、平24〉

第4号のタイトルが「定型」です。だけど、「定型」って題をつけながら、定型をどこかはみ出そうとしている句ばかりなんです（笑）。

あまり定型でないほうが面白いという句、あるのだわ。ちょっとずれているという句。字足らずは、私、嫌だけれど、字余りのほうは、でこぼことした面白さがある気がする。あまり定型で、ぺらんと平べったくならないと言うのかな。句またがりの句も、結構面白いのではないかなと思っていたころじゃないかな。句を作るって、やっぱり「定型を壊し整へ」てだわ。

大いなる駱駝(らくだ)の歯茎あたたかし

〈第4号、平24〉

「大いなる駱駝の歯茎」が、面白くて。馬もですけれど、言われてみると「駱駝」もすごい歯茎で。そこに季語の「あたたかし」。駱駝の体温のあたたかさも感じますけれど、歯茎をむいた駱駝の顔を想像して、思わず頬がゆるむ「あたたかさ」でもあります。

そう読んでくれたんだね。

第4号になり、いよいよ「草木俳句会」が軌道に乗ってきた気が致します。そして、和子さんが、自分の俳句のことより、会員のみなさんの俳句をよりよくしたいと一生懸命考えておられることがとてもよくわかります。「そうもく逍遙」という、会員の句をとりあげて句評をなさるページに、きっちりとものを見て、見た上で何をどう書くか、書かないか。何が必要で何を省略すべきか、それを考えて句を作ることが大切だということをお書きです。そして、「何が新しいのか、新しいとは何か、それらはみな、がっちりした土台から生まれるものではないだろうか」ともお書きですね。

これは今でも変わらないでいる。だいたいが私、抽象から入ったのだよね。だって、〈凧（いかのぼり）きのふの空のありどころ〉だって抽象だもの。何も具体性が無い。

与謝蕪村の「凧」の句、まさかこの句が出てくるとは思わなかったのですけれど。

この句、やっぱり抽象の極みだと思うよ。この句ね、どうして私の記憶にあるかと言ったら、萩原朔太郎の『郷愁の詩人　与謝蕪村』という文庫本を、俳句を始めた頃に持っていたの。探したけれど、どこかにいってしまった。朔太郎が、この句について書いていたの。それで記憶にね。結局、抽象の原点みたいなものかなと思うよ。

抽象……、ああ、いま凧の揚がっている「けふの空」ではなく、「きのふの空」ですものね。今日の空を見ながら、今日とはちがう昨日の空を思っている。そこに何かのシンボルのように凧が揚がっているというような感じでしょうか。和子さんがおっしゃった「抽象の極み」という意味が少しわかったような気がします。

俳句の「は」の字も知らないときから、それに惹かれて、そこから入ったの。だけどやっているうちに、もうちょっと具体的なほうが自分も納得できる、ぼやっとしたものに形をつけるというのかな。心象俳句は、心象だからぼやっとしているでしょ。それに色も少しつけて形もつけて。心象にばかり傾きすぎないで、もうちよっとリアリティーのある……。そのほうがみんなにもわかってもらえるし、面白いのではないかなと。

「よく見た上での飛躍」、そういうことなんですね。

鵙高音（もずたかね）沖の向うに沖があり

〈第5号、平24〉

沖って、何なのだろうと思うときあるよ。低いところから見ても沖だし、高いところから見ると、またさっき見た沖と違うわけでしょ。地球は丸いから、いくらでも「沖」はあるのだわ。

ほんとにそうですね。沖を見る視点が、「鴟高音」という季語によって、人間の視点から鳥の視点に引き上げられて、一気に沖が広がりました。

〈第6号、平25〉

ざつくり裁つ三寒四温のうらおもて

紀伊国屋五列目下段亀鳴ける

数詞を使った句を並べてみました。和子さんの独壇場という趣の句です。

まだ、このころ洋裁をやっていた。ミシン踏んだりしていたのだね。

「ざつくり裁つ」で、厚地の布を大きな裁ち鋏で裁断している景も見え、ざくざくという音も聞こえてきます。そして、「三寒四温」という時候の季語を、まるで「物」のように扱って、「三寒四温のうらおもて」だなんて。「布のうらおもて」とひっかけていらっしゃるのも、気が利いていますね。

そうなの？　隣の句はね、このころも紀伊国屋に通っていたんだね。「五列目下段」だったら、こうやってかがまないと見えないの。

季語の「亀鳴ける」は、もちろん上五中七と離して読むのでしょうけれど、こう続いていると、なんだか、紀伊国屋さんの薄暗い五列目下段で、亀が鳴いているようにも読めますね。

舌の根はすぐに乾きぬ百千鳥　〈第6号、平25〉

季語に何を持ってくるか、すごくすごく考えたの。そして「百千鳥」。

「百千鳥」が、なんともいいなあと思っていたのですが、そうですか、すごくお考えになったのですね。いろんな鳥が、それぞれに囀っている感じが、「舌の根」とどこかで響き合っています。

「舌の根の乾かないうちにまた」というでしょ。だけど、舌の根なんか、すぐ乾くのだわ。さっき言ったことを忘れて、また別なことを言う。人間て、仕様がないよね。

馬は馬の影曳いてゆく夏野かな　〈第7号、平25〉

とても心惹かれた句です。

私も好きだよ、この句。

第7号の「そうもく・この人この一句」では、「作者は夏野をゆく馬が曳いているのは重い荷ではなく影だと捉えた」と亀松澄江さんがお書きですし、「一読して情景が鮮明にイメージされた。『馬は』の『は』の係助詞が所を得て、作者の発見・感動の焦点を明確にしているからである。常々助詞が大事と言う文語文法に精通の作者の会心作であろう。現代俳句協会全国大会秀逸賞受賞作」と伊野多津男さんがお書きです。

そうなの、この句、全国大会に出して、宇多喜代子さんが特選に取ってくれた。地味な句なんだけれどね。どうしてなんだろうね。

やはり、胸にじいんと響きます。馬は馬の影を曳くしかないのだなと。もちろん、人間は人間の影を曳くしかないのですが。

鮟鱇（あんかう）の混沌を置く台秤
〈第8号、平26〉

薄氷（うすらひ）にうすい黄昏（たそがれ）乗つてゐる

三寒のあとも三寒飯を炊く

どれもが「第二十三回中北海道現代俳句大会」の高得点句なのですが、一人一賞ということで、〈三寒のあとも三寒飯を炊く〉で受賞なさっておられますね。

そうだったね。「鮟鱇」って、ほら、なんとなく「混沌」としてるでしょ。「薄氷」も、こんな感じでしょ？　繊細な感じするよね。見るだけで、罅が入りそうな感じがする。

喪服一式海市（かいし）の隅へ吊しけり
〈第9号、平26〉

この句以外にも〈海市から兄の帽子が戻らない〉（『草木舎』第17号）や〈海市から切手貼ら

ない手紙着く〉（『草木舎』第18号）のように、「海市」を使った印象的な句がありますので、「海市」への思い入れがずいぶんおありになるのだと思うのですが。

私、見たことないんだよね。見たことはないけれど、思い入れはあるの。『アラビアのロレンス』っていう映画で、砂漠の彼方に蜃気楼が現れるの。「海市」ではないけれど、私にはイメージがダブるのだわ。だって「海市」と「蜃気楼」、あると言えばあるし、無いと言えば無いようなもの、虚の部分でしょ。そこからだったら、どんなイメージを持ってきても大丈夫と思ってしまうわけ。

だから、「兄の帽子」も戻らなくていいし、「切手貼らない手紙」も着くのですね。

そう。この句は、斉藤高原舎(こうげんしゃ)さんのお葬式に行った後かもしれない。今言ったように、「海市」そのものが虚のものだから、その隅っこに喪服を吊そうと思えば吊せると思ったのだと思うよ。似合うのでないかなと思ったんだね。実際は壁に吊ったのだけどね。あなたがただってできるよ。ライオンがいてもいいの。海市の隅っこだったら、何がいてもいいの。そういうことでしょ。結局、イメージで勝負しているということなのだ。私は喪服を吊ってみたかったのだわ。あまり朗らかないい句でもないけれどね。

死ねるやうな死ねないやうな白夜かな

〈第9号、平26〉

私、「白夜」っていう季語も好きなのだよね。樺太にいたせいかもしれないけれど。樺太に白夜まではないけれど、近いものはね。北極圏みたいな本当の白夜なんか日本にはないでしょ。だけど、夏至の頃の日の長い時、勝手に「白夜」って自分で言っているのだわ。だから、白夜の「暮れるやうな暮れないやうな」というのを、「死ねるやうな死ねないやうな」と転換しただけのことだよ。

転換しただけっておっしゃいますけれど、その「だけ」ができないんです。最初の句からずっと見てきましたけれど、こうなってくると、なにより自由になられている気がします。

自由になってきたのかな。自分ではわからないのだよ。

山頭火忌あまり褒められても困る

〈第9号、平26〉

忌日の句って、難しいですね。

そうだね。たしかに忌日の句って、面倒だね。だいたいその人がいつ死んだのか、歳時記を繰らないとわからない。よっぽど思い入れのある人だったら別だよ。だけど私ね、山頭火のこと、本で読んでいたのだわ、俳句ではなくね。それで、この人、あんまり褒められて褒められて、かえって困っているのでないかなと。生い立ちから考えてね。尾崎放哉と比較して書いた本を読んだことがある。尾崎放哉はインテリだったでしょ。

昔ね、俳人で「俺、山頭火みたいに生きたい」と言った人いるの、私に。放浪して歩いて乞食のように生きたいと言うから、「いや、それ無理だわ」と言ったら、「どうしてよ」って。それで、「あんた山頭火ほど才能ないもの」と私、言ったことある（笑）。山頭火だからこそできたことで、才能も無くて人にたかって歩くなら、本当のダメ人間でしょって（笑）。

たしかにそうですね（笑）。この「あまり褒められても困る」が、まさに「山頭火」にぴったりで。死後、こんなに山頭火、山頭火と言われるなんて思いもしていなかったでしょうね。そして「いや、そんなに言われても僕、困ります」と言っているようで。でもこれ、山頭火のことでもあり、実は、ご自身のことでもあるのですよね。

そうですよ、「あまり褒められても困る」って、自分のことでもあるかもしれないね。

口語体で言ったのも、またよかったのかもしれないね。

鯨汁肉も昭和も縮みたる

白鳥の違ふ白さが着水す　　〈第10号、平27〉

「肉も昭和も縮みたる」って、まったく異質な二つに共通性を見つけることも、和子さん、すごくお上手で。

だって、どっちも縮むよ。まあ「昭和」は、「縮む」というよりも、はるかになってしまったなという感じだけどね。だいたい今、「平成」も過ぎて「令和」の時代だもの。この句を作ったときは、まだ令和になっていないけれど。

それと対照的なのが、「白鳥」の句です。こちらは、一見同じに見えて、よく見るとそれぞれ違うというところに目をつけていらっしゃいます。

そうだね。白鳥をそんなに近くで見たことはないけれど、みんな同じ白さではないと思うんだ。

花烏賊（はないか）の午前零時が透きとほる　〈第11号、平27〉

句会の前の日にスーパーに行ったの。本当は、「耳透きとほる」だったのだけれど、面白くないものね。当たり前だものね。でもね、買って来て冷蔵庫に生きたまま入れておいたとすると、「午前零時」ごろになると、ちょっと耳もソロソロと動いているのじゃないかなって。生き物だものね。だって、函館にいたとき、生きている烏賊しか食べたことないよ。生きているのを皮むいて調理するの。札幌に来たら、いくら活きがいいと言っても、死んだ烏賊でしょ。だから、札幌の烏賊は、活きが悪いのさ。

鬱鬱（うつうつ）と二十九画日短　〈第12号、平28〉

この句、見ているだけで目眩がしそうです（笑）。二十九画なのですね。

そうなの。五番館（札幌にあった百貨店）で古書市があったころ、ぼろぼろの『漢和辞典』を買ってきたの。それをずっと使っていた。もういらないと思って捨ててしまったけどね。

「鬱」は二十九画で載っていて、ちゃんと画数かぞえましたよ。でももっと画数の多い漢字もあるんだよね。漢字ばかりで「と」だけ平仮名を入れたの。

この句は、見た目も面白いし、そして何より季語の「日短」が効いていると思います。「鬱鬱」というものすごくボリュームのあるものに対して、「日短」と四音を持ってくるセンスがすごいなあって。ここに「夜長し」なんて持ってきたら、全然駄目ですものね。

〈第12号、平28〉

戦中戦後黙つて坐る鏡餅

空爆の紙面泥葱（どろねぎ）の泥こぼれ

「鏡餅」の句ね、これは、自分でもお正月になると思いだす句だよ、戦時中、もう何もなくても、お正月に「鏡餅」はあったのだと思うのだわ。ご馳走なんかなくてもね、まず鏡餅を作ったと思うのだわ。どうしても私、戦時中のことが下地にあるというか、意識しないでぽわっと出てくるときがあるのだよね。次の句も「空爆の紙面」なんてね。中東戦争の時のだけれど、戦争のことにすぐ思いがいくというのかな。

当然のことだと思います。それが和子さんの核というか。直接句に出なくても、底には常にあるのですから。

そうだね、それはしょうがないものね。生い立ちがそうだからね。ところで句会に出した時に、「〈空爆の紙面葱の泥こぼれ〉でいいんじゃないの、別に『泥葱の泥』でなくてもいいんじゃないの」って言った人がいるの。でもね、私は「泥葱」というのを使いたかったんだよね。

青年になるセーターを脱ぐたびに
大寒のまん中に置く羅紗鋏（らしゃばさみ）　〈第12号、平28〉

これは二句とも中現俳（中北海道現代俳句協会）の大会に出した句だわ。「青年になる」って、孫の「新（あらた）」の句。この句が一位になったの。なんてことない句なんだけどね。

「なんてことない」どころか、「セーターを脱ぐたびに」なんて出て来ません。隣の句の「羅紗鋏」って、そういえば昔あったなと思い出しました。大きくて重量感のある鋏ですよね。そして、布を裁つときに、いい音がして。

そうそう、ジョキジョキって重そうな。あのね、大会の後の懇親会のときに、司会の人に「和子さん、羅紗鋏ってどんな鋏なのですか」って、急に言われてびっくりして。今はもう見たことないけれど、昔ね、学校の一期上に洋服屋の娘がいたのさ。テーラー、仕立屋さんね。学校の帰り、そのお店のウインドーから見たら、大きな裁ち台があるわけ。そこにいつも布を広げて、お父さんだと思うのだけれど、でっかい羅紗鋏でジョキジョキって切っているのが面白くて、じっと見ていた記憶があるよ。

少しづつじゆうぶんに老いあたたかし　〈第12号、平28〉

「少しづつ」の句は、みなさんに卒寿のお祝いをしてもらって、花なんかもらって。そのお礼の意味で詠んだ句なの。

「少しづつ」そして「じゆうぶんに」と、一見矛盾するようでいて、実はそれこそが真実という、和子マジックですね。そこに季語の「あたたかし」。和子さんの卒寿を祝う人、そして祝われる和子さん、その両方の気持ちが伝わってくる季語だと思います。

だって90歳なんだから、ほんとに「じゆうぶんに」なのだよ。俳句と俳句の仲間がいなかったら、こんな長生きできないよ、私。ほんとにそれは。

家中のどの鏡にも流氷来　〈第12号、平28〉

通るたび鶏頭佇(た)つてゐる鏡　〈第13号、平28〉

「鏡」の句を、並べてみました。

「通るたび」の句、『現代俳句』にも載ったのだけれど、全然知らない京都で句会を持っているという男の人から葉書が来て、「自分の俳誌に取り上げた」って。異様な感じがして、この句すごく気になったのだって。

たしかにちょっと異様な感じしますよね。

そうだね、私、自分でも異様な感じするもの。だって、異様な感じに仕上げたのだもの。

「流氷」の方は、なるほど流氷に囲まれるってこんな感じなのかなと。けれど、「鶏頭」の方は、あの花の異様さもあって、何か怖い感じすらします。

そうだよね、怖い感じするでしょ。それも、通るたびに立っているのだから、気味悪いよね。ハッと見たら、あら、いるって。

「鶏頭」に、定点観測されているみたいでもあるし、そしてまた、その「鶏頭」が別のものを比喩しているようにも読めますね。

〈第13号、平28〉

川の幅みしみしみしと鮭遡る

これ、常呂川なのだわ。私、昔、分校で先生をしてたでしょ。その分校の跡を訪ねたの。過疎地だからね、学校はもうなくて、鮭の孵化場になっていたの。学校のグラウンドのあったあたり。その時にできた句だわ。

「川の幅」いっぱいに、鮭が遡上していくさまが見えます。そして、その鮭の密度を、「みしみしみし」というオノマトペに転換したところ、すごいなと思います。

だってね、ほんとにすごかったのだもの。「みしみしみしと」遡るような気がしたの。

いっぱい鮭がね。自分で言うのもなんだけど、この句、立体的で存在感があるね。

目が入ってからの混沌雪だるま　〈第14号、平29〉

裸木(はだかぎ)にはだかの星が降るやうだ

この年も、「雪だるま」の句で中現俳大会の一位をお取りになったのですよね。この句を、五十嵐秀彦さんが北海道新聞の「新・北のうた暦」（平31・1・30）で取り上げていらっしゃいますので、それを紹介したいと思います。「雪だるまに目鼻を入れるとナニモノかになることは誰でも知っている。けれど、それは人ではない。命を感じてしまうが、いのちではない。あれはいったいナニモノだろう」と。

そうだったね。「裸木に」の句は、かをりさんが、エッセイに取り上げてくれたんだよね。

ええ、『草木舎』（第17号）に寄稿したエッセイに、「裸木」の句を引用させていただきました。海を見ると、いつも海って素っ裸だなあって思うのですが、なるほど、星も素っ裸だなあって。

〈第14号、平29〉

北窓を開くたびたびもの忘れ

そして、この句が第14号最後の句です。この句、「たび」を掛詞的に使っていらっしゃいます。

そうだね。「開くたび」と「たびたびもの忘れ」、「たび」に「たびたび」を掛けた。これね、五七五にするのに困ったの。本当は、「北窓を開くたび開くたびもの忘れ」なの。でも、「開く」を二回使うこともないと思った。「北窓を開くたびもの忘れ」では、今度は二音足りない。それで「たびたび」にすればいいんじゃないかなって。案外おさまったね。

みなさんもそうだと思うけれど、五七五におさまらないとき、どうやって言葉を削るか、足すか、そこが難しいよね。五七五におさめない人もいるのだわ。わざわざおさめる必要ないってね。でも、私はそうじゃない。やっぱり基本的に俳句というものは、定型と季語だと思っているから、その根本は動かない。少しぐらいは調整してもいいけれども、根本は五七五と季語、古いかもしれないけれど。「俳句」というものを選んだからには、それに従う。そうしないのなら、自由詩でもいいし、短歌でもいいし、演歌の歌詞でも何でもいいのだから。「俳句」という詩型を選んだ限りはね。

ええ、それはやはり俳句の基本ですから。ところで和子さんは、季語についてはいかがお考えでしょうか。

私はね、季感があればいいと思うの。季重なりもいいのだよ。大きな季語と小さな季語で、どちらが主というのがはっきりしていればね。無季の句でも、よっぽどよければ取るかもしれないね。無季で、何の季節感もないというのだったら、俳句でなく、一種の五七五という定型を守ったスローガンのように思えるかもしれないからね。

なるほど、季語でなくても、句に現れている季節感、つまり「季感」が感じられればいいということですね。ところで、津田清子の砂漠の句、あれは、ほとんど無季なのです。

でもね、砂漠に行ったという、そういう下地があるから、読むほうがそれでイメージするでしょ。そして私たち、砂漠と言われると、暑さとか、乾燥とか、やっぱり肌に感じるものはある。いつの季節か分からないけれど、暑さと渇きというものは感じるもの。

ああそうですね、そう考えると、たしかに季感めいたものは感じられますね。実は私は、砂漠自体が季節感がないものだから、砂漠の本意に則れば無季になって当たり前だと、そういう気もしているのです。

なるほどそういう考え方もあるね。

〈第15号、平29〉

愚図愚図（ぐづぐづ）とつながつてをり梨の皮

「愚図愚図」というオノマトペが、なんとも魅力的。私なんかどうしてもありきたりのオノマトペになってしまいがちです。

梨の皮って、さわさわさわと剥けるんだけれど、切れそうで切れないのさ。一向に切れないで、まあしつこいと思う。「愚図愚図」つながっているなって。

漢字の「愚図愚図」というのも、ぐずぐず感を醸し出していますね。

〈第15号、平29〉

やや寒（さむ）をゆるく着給ふほとけたち

今までそんなこと思いもしませんでしたが、たしかに仏さまたちは、衣をゆるく着ていらっしゃいますね。胸元を出して。天竺からいらっしゃったからかも（笑）。

この句、自分でも気に入っているよ。何てことないのだけれどね。

季語の「やや寒」がまた絶妙だと思います。「大暑」では「ゆるく着給ふ」と因果関係のようになってしまうし、「大寒」では、風邪をお召しになりそうだし（笑）。

〈第16号、平30〉

木枯やうすくれなゐの牛の乳房

和子さんに珍しい上五の「や」で切れている句です。

私、「や」で切るのは、何か嫌なの。上五を「や」で切る場合は、大抵、季語プラス「や」でしょ。上五を名詞で切るのだったらいいよ。だけど、「や」をつけて五文字にして切るのって、どうも苦手というか、避けるというか、そういう傾向があるね、私。だけど、この句はどうしても仕方がなかった。これ、三浦哲郎の連作短編集『野』の中にある「金色の朝」の書き出しの一行、「乳房に、西日が当たっていた」に触発されてできた句。この一行、はじめて読んだとき「えっ」ってびっくりした。そうしたら、これ、豚の乳房だった（笑）。句は「牛の乳房」だけどね。

〈第16号、平30〉

あかぎれの戦前戦中戦後の手
氷片と荒星の鳴るグラスかな
龍角散と龍太が机上冬籠(ふゆごもり)

第16号には、複数の名詞が並列に使われている句がいくつかあって、それを挙げてみました。

あらこんなに、全然自分では気がつかなかった。

でも、それぞれのテイストが違っていて面白いんです。「あかぎれ」の句は、大変な時代を生き抜いてきた「一人の人物の手」だとも読めますが、いつの時代も厨事に追われていた「女たちの手」とも読めます。おそらく両方に取れるようにお作りになったのじゃないかと。「氷片と荒星の鳴るグラス」はお洒落です。でも、私が一番好きなのは、〈龍角散と龍太が机上冬籠〉なんです。「龍」の字で韻を踏んでいて、しかもいかにも「冬籠」の景ですし。

これほんとはね、机上に「龍角散」もないし、「龍太」もないのだよ。「龍太」はね、向こうの本棚にあるの（笑）。

サハリンの夕陽を割つて鯨浮く　〈第16号、平30〉

さて、「サハリン」の句がここにあるのです。もう「樺太」なんて言わないなと思って。樺太なんて言っても、今の人たちはわからない。もう「サハリン」の時代だなと思って。

私の見たことのない壮大な景です。

焼かれつつ徹頭徹尾秋刀魚なる　〈第17号、平30〉

「秋刀魚」って焼くとき、一匹のまんま焼くでしょ。切ってなんか焼かないでしょ。頭の先から尻尾の先までね。ああ、秋刀魚って本当に焼かれても秋刀魚だなと。

いやほんとに、どうなっても「秋刀魚」は秋刀魚のあの形ですものね。しかも「焼かれつつ」ですから、焼かれていく途中も秋刀魚なんです。この句は、「腐っても鯛」の「秋刀魚」バージョンだと思って。

そういう言い方もあるのだね。「腐っても鯛」の「秋刀魚」バージョン（笑）。

しかも、「徹頭徹尾」って、「始めから終わりまで・どこまでも」という意味の言葉でありつつ、字面にも「頭」と「尾」が入っていて、念が入っています。

そうそう、頭から尻尾までで、ちょうど秋刀魚一匹分だなと。あのね、「秋刀魚かな」は嫌だったの。「秋刀魚だよ」という意味で「秋刀魚なる」にしたの。でも、この句、機知が働き過ぎるかな。

漱石の名なしの猫も良夜なる

〈第18号、令1〉

いよいよ最後の第18号です。

『吾輩は猫である』の冒頭に、「吾輩は猫である。名前はまだ無い」と書いているのだから、「名なしの猫」でいいのだよね。あの小説、半分読んで、後の方は文学論だか哲学論みたいになって、面白くなくてやめたんだけど、始めの方は結構面白かったの。

『吾輩は猫である』は、『ホトトギス』に発表されたんですよね。それにしても、よくこんな難しいのを掲載したなあと。ところで、「猫も」の「も」についてお尋ねしたいのです。

この「も」はね、「漱石の猫も」「どこかの野良猫も」、そして「われわれも」という感じかな。

〈第18号、令1〉

着膨れて一生けんめい老いてゆく

たてよこにななめに老いてとろろ汁

わたしにもまだ泣くちから梅しろく

子規に「糸瓜三句」がありますけれど、第18号の圧巻は、この「老三句」だと思います。

この中では、〈たてよこにななめに老いてとろろ汁〉が一番好きだよ。自分ではね。

「たてよこにななめに老いて」なんて、よくこういう言い方が出てくるなあと。それに「とろろ汁」が、なんともわびしさのようなものを醸し出しています。

どこから見ても老いたということだよ。「たてよこ」まで来たら、もう一つ何かだ。「なめ」だなと（笑）。「とろろ汁」大好きだけれどね、すっとぼけた感じするよね。ご飯にかけて、私のずるずると食べているところを見たら、みんなそう思うと思うよ。

亀鳴くを聴きそびれたり改元す

〈第18号、令1〉

これは記念すべき号だね。令和になったときだから。平成のうちに、亀鳴くのを聴いてしまわなかったのだ。だいたい亀なんか鳴かないのだから。桂信子に〈亀鳴くを聞きたくて長生きをせり〉っていうのがあるでしょ。なんだか知らないのに生きてしまったのだわ。それに「亀鳴くを聞きたくて」ととぼけているんだね。私は聴きたいのに、聴けないうちに改元してしまったよという感じ。こうしてみると、私の句のほうがきついね。桂信子に比べたら、なんだか可愛げがない気がするよ。

この句が、第18号最後の句です。和子さんに、もうさんざんお話していただいたのですが、最後に、俳句を作る際のアドバイスを一言、ぜひよろしくお願い致します。

そんな偉そうに言えることではないけれど、とにかく俳句を作るときは、気取らないで、普通の言葉で、普通に書けばいいと思うのね。だけど、普通というのは難しくて、「普通は特別」というのを聞いて、このノートに書いてあるのだわ。普通の言葉で普通に言っていて、なおかつ光るものが本当だと思う。一見、派手派手しさもない、やさしい言葉をやさしいふうに言っているけれど、その何倍も奥行のあるという句。でもそれが難しいからね。何十年も私、やっているでしょう。そこが大事なのだわ。難しいんです。

もう一つ、この間テレビで、この人の言っていることも俳句にぴったりだなと思ったことがあるの。元駐米大使をしていた外交官、ニュース解説にも出た人なんだけれど、外交問題を国と国とでやるときに、例えば大事な外交交渉なんかは、そんな大声で言わないのだって。大事なここ一番というときは、ささやくのだって。はぁ、これは俳句にぴったりだって。ささやくように言って、その言っている内容がその三倍ぐらい大きい。初めから三倍ぐらい大きな声で言ったら、なにも効き目ないよね。

耳が痛いです。普通の言葉で普通に詠んで、しかも光っている句、これが一番難しいです。

そうだね。そして、そういう句を作ると同時に、読み取らなければならない。そういう句の良さというものを読み取る力も、併せて持たなければいけない。自戒の意味を込めて言うのだよ。人様に教えるとかではなく。自分にそう言い聞かせているということです。
それで終わりです。

和子さん、本当に長い間、ありがとうございました。

（了）

終わりに

左より亀松澄江、藤谷和子、松王かをり（第１回インタビュー、H31. 3. 30）

九回に及ぶインタビューを全力で受け止めて応えて下さった和子さん、とりわけ最後の回は、残っているエネルギーを振り絞るようにして話をして下さった。この間に、和子さんは91歳から93歳になられた。そんな中、和子さんと同い年の私の父が亡くなるということもあって、九回にわたるインタビューの膨大な資料の整理に時間がかかり、間もなく和子さんは94歳になられる。

最初は、俳句についてだけ伺うつもりでいたのに、和子さんご自身が「俳句は、人生の履歴書みたいだね」（第五回インタビュー）と思わずおっしゃった通り、結局は、和子さんの生涯を浮き彫りにするインタビューとなった。樺太で生まれ、戦中戦後を生き抜いてきた一人の女性の傍らに、いつも俳句があったということ、そして「俳句」は、ときには手を焼く道連れとなりつつも、人生という旅の杖であったことは、「俳句と俳句の仲間がいなかったら、こんな長生きできないよ」（第八回インタビュー）という述懐に現れている。たった十七音の詩、「俳句」という世界最小のポエジーのもつ力を思わずにはいられない。

ところで、自句だけではなく、好きな句について語っていただくことも、和子さんの俳句観を知る上で大きな助けになるかと考えて、第六回のインタビューの最後に、〈好きな句〉についてお尋ねした。前もって書き出していただいた十句について語って下さったところを、ここに載せることにする（このうちの四句はすでにインタビューの中で語っていただいているので、残り六句についての部分である）。ラインナップは、なんと蕪村から宇多喜代子まで、こういう選句眼の広さもまた、魅力的な和子句を生み出す要因であるにちがいない。ぜひこれも併せてお楽しみいただければと思う。

〈好きな句〉

凧きのふの空のありどころ　与謝蕪村（190頁）
朝顔や濁り初めたる市の空　杉田久女（44頁）
凩に詠唱さるる夜の娼家　松澤　昭（52頁）
をばさんがおめかしでゆく海羸うつ中　山口青邨
河べりに自転車の空北斎忌　下村槐太
セレベスに女捨てきし畳かな　火渡周平
霜柱俳句は切字響きけり　石田波郷
紺絣春月重く出でしかな　飯田龍太
死んでから先が永さう冬ざくら　桑原三郎（181頁）
大きな木大きな木陰夏休み　宇多喜代子

をばさんがおめかしでゆく海贏(ばい)うつ中　山口青邨(せいそん)

この句のね、「をばさん」という使い方が好きだったの。自分の「伯母・叔母」のことじゃなくて、そこら辺の庶民的な「をばさん」のこと。

河べりに自転車の空北斎忌　下村槐太(かいた)

好きだよ、この句。「河べり」なんて使って、何となく荒涼とした感じ。心象風景として、そういう感じが私にはするのだわ。楽しい、明るいという雰囲気ではないでしょ。北斎だって、貧乏で貧乏で……。長生きしたけれど、認められたのは、むしろ死後の方でしょ。そんなに華やかな人生ではなかったと思うのだ。だから、生前の北斎と重ねれば、下村槐太もそうだったんじゃないかと思う。一流の俳誌の主宰でもないし、貧しかったと思うよ、たぶん。

セレベスに女捨てきし畳かな　火渡周平(ひわたりしゅうへい)

火渡周平、この人、復員兵なのだわ。だから、いろいろなことあったのでしょ、ドラマチックに。そういう人、いっぱいいたでしょ、戦時中。この「畳かな」が面白くて。きっと、すすけて赤茶けた畳に寝転がって、セレベスに捨ててきた女のことでも思い出してるんでしょう。戦後間もない日本の男の、荒涼とした景色だね。この句、一編のドラマになりそうな感じだね。

霜柱俳句は切字響きけり　石田波郷(はきょう)

やっぱり波郷って、ピッとしていいね。まず「霜柱」って季語がいい。グチャグチャ言わないでね。私、「俳句は切字響きけり」と言われると、「そうだ」って身が引き締まるような気がする。カミソリの刃をあてられたような気がする。スカッとして、すごいなと思うよ。

紺絣(こんがすり)春月重く出でしかな　飯田龍太

飯田龍太の句、何でも好きだけれど、いっぱい写しているのだけれど、やっぱりこれだなと思う。第一句集『百戸の谿』にある句。青春性にあふれているよね。何も難しくないし。

大きな木大きな木陰夏休み　　宇多喜代子

やさしい句だね。大きなおおらかな句で、好きだよ、宇多さん。変に肩ひじ張らない、構えのない素直な句。〈天皇の白髪にこそ夏の月〉、ああいう有名な句がいっぱいあるけれど、やっぱりこの句が、宇多さんのふっくらして優しい気持ちが一番出ているかな。私は好きだな。

最後に、改めて藤谷和子さんに、そしてインタビューに毎回同行して下さった亀松澄江さん（現・草木舎代表）、音声起こしをお手伝い下さった井上静枝さん（パワーステーション代表）に心より御礼を申し上げたい。併せて出版にご尽力下さった中西出版の河西博嗣さん、濱岡純さん、佐藤香さんに深謝申し上げる。

春の雪降る三月の夜に

＊　＊　＊

実は、三月の中旬に出版社に原稿を送り、二回目の校正をしていた五月九日の夜、亀松澄江さんからの電話で、和子さんの訃報を受け取った。骨折でご入院中であったが、ゲラをお送りしたら、病室から電話があって「ほんとに楽しみ。この本を見ないと死ねないわ」と声をお聞きしたところだったから、不意打ちのような訃報であった。心不全とのことだった。もちろん、ご年齢を考えると、そういうことも覚悟をしておかなければならないと頭ではわかっていたけれど、この本の出版を待たずに逝かれたことは、残念でしかたがない。

今、願うことは、一人でも多くの方に、この本を通して、生き生きと俳句を語る和子さんに出会っていただきたいということである。

和子さん、本当にありがとうございました。

松王かをり

リラの雨降る五月の夜に

藤谷和子　略年譜

和暦	西暦	齢	
昭和2	一九二七		4月15日、樺太庁真岡（現・ホルムスク）に生まれる。二男九女の八女。父吉田亀吉、母フミ、ともに秋田出身。
昭和19	一九四四	17	樺太庁立真岡高等女学校卒業。国鉄真岡駅に就職。
昭和20	一九四五	18	8月15日、真岡駅のホームで玉音放送を聞く。 8月20日、引き揚げの予定だったが、ソ連軍の艦砲射撃を受ける。 9月20日、六女の八重子死去。亡骸を真岡の丘に埋める。
昭和23	一九四八	21	3月下旬、真岡を引き揚げ、4月15日函館に上陸。その後、両親の出身地の秋田へ。12月、姉の出産の手伝いに北海道の置戸町（常呂郡）へ。
昭和25	一九五〇	23	家族で北海道の豊富町（天塩郡）に転居。日曹小学校の臨時教員となる。同僚として再会した幼なじみの藤谷利勝と結婚。小樽に移る。
昭和28	一九五三	26	常呂町（北見市）の福山小学校で教員をする。

昭和29	一九五四	27	道職員となった夫と紋別へ。長男誕生。専業主婦となる。
昭和33	一九五八	31	7月、北海道新聞の俳句欄に初めて投句し、伊藤凍魚選で掲載される。以後、道新に投句するようになる。夫の転勤で函館へ。「氷下魚」主宰の伊藤凍魚の推薦で、杉野一博より「氷下魚」函館支部の句会に勧誘される。
昭和34	一九五九	32	「氷下魚」に入会。函館支部の句会に参加。
昭和36	一九六一	34	「冬の家族」により「氷下魚賞」受賞。11月、父死去。
昭和38	一九六三	36	1月、伊藤凍魚死去。『氷下魚』終刊。
昭和39	一九六四	37	1月、松澤昭が主宰・創刊した「四季」に入り、杉野一博、斉藤高原舎とともに編集同人となる。以後、「四季」の仲間と句作に励む。
昭和40	一九六五	38	掌編「静脈」により「第2回四季賞」受賞。
昭和43	一九六八	41	夫の転勤で札幌へ。
昭和54	一九七九	52	3月、母死去。
昭和62	一九八七	60	第一句集『瞬』（昭62・5、四季書房）刊。

平成3	一九九一	64	「四季」を退会。杉野一博主宰「艀」創刊に加わる。 12月『艀』第1号（隔月刊）発行。中北海道現代俳句協会発足、幹事となる。
平成6	一九九四	67	1月、夫入院。10月1日、夫死去。北海道俳句協会、地区委員となる。
平成9	一九九七	70	第二句集『生年月日』（平9・8、艀俳句会）刊。 『生年月日』により「第12回北海道新聞俳句賞」受賞。
平成16	二〇〇四	77	『俳句の杜5　円熟作家アンソロジー』（平16・2、本阿弥書店）に一〇〇句収録。
平成18	二〇〇六	79	中北海道現代俳句協会、副会長となる。
平成21	二〇〇九	82	12月、「艀」退会。「草木舎俳句会」を起ち上げる。
平成22	二〇一〇	83	7月、心筋梗塞の手術・入院。12月、『草木集』第1号（年2回刊）発行。
平成23	二〇一一	84	1月、大動脈瘤の手術・入院。
平成26	二〇一四	87	すべての役員、選考委員を辞任。
平成28	二〇一六	89	12月をもって「草木舎俳句会」代表を退く。
令和3	二〇二一	94	5月9日、死去。

最果ての向日葵（ひまわり）―俳人　藤谷和子（ふじやかずこ）に聞く―

発　　行――令和三年七月二十日

著　　者――松王かをり
発 行 者――林下　英二
発 行 所――中西出版株式会社
〒〇〇七―〇八二三
札幌市東区東雁来三条一丁目一―三四
電　　話――(011) 七八五―〇七三七
F A X――(011) 七八一―七五一六
印 刷 所――中西印刷株式会社
製 本 所――石田製本株式会社

ISBN978-4-89115-399-1